［社内プレゼンの資料作成術］

Making perfect presentation materials

Maeda Kamari
前田鎌利

ダイヤモンド社

Prologue はじめに
社内プレゼンは「資料」で9割決まる

 孫正義社長に鍛えられたプレゼン技術

　社内でのプレゼンテーションは、ビジネスパーソン必修の基本スキルです。
　どんなに練り上げた企画や提案も、経営者や上司からゴーサインを得なければ、一歩も先に進めることができません。そのためには提案内容をわかりやすく伝え、決裁者を納得させるプレゼン・スキルが必要不可欠だからです。

　ところが、これが苦手な人が多いのではないでしょうか？
　何を隠そう、私自身がそうでした。社内プレゼンを学ぶ機会などありませんでしたから、すべて"自己流"。若い頃は失敗の連続でした。何度も却下されたり、再提案を求められたりしたものです。
　これが、膨大なムダを生み出しました。再びプレゼンの内容を練り直すのに時間がかかるのはもちろん、何より、次のプレゼンまでに1～2週間、ときには約1か月のブランクが空きますから、その間、プロジェクトを進めることができないのが大きい。これは、会社にとっても重大な機会損失。そのような失敗が積み重なると、社内での評価はガタ落ち。社外も巻き込んだプロジェクトであれば、社外からの信頼も失ってしまいます。

　だから、私は試行錯誤しながら社内プレゼンのスキルを磨いてきました。
　特に、ソフトバンクモバイル株式会社（現ソフトバンク株式会社）に勤めるようになってからは随分と鍛えられました。何しろ、トップは孫正義社長（現会長）ですから、意思決定のスピードが速い。次々と降りてくる課題への対応策を考えて、プレゼンをしなければなりません。しかも、会議に付議される案件が多いため、一件のプレゼンに与えられるのは3～5分。その場で「1分でやるように」と指示されることもありました。

だから、簡潔で的を射たプレゼンができなければ、それだけでアウト。鋭い指摘を浴びせられて立ち往生したこともあります。特に、孫社長を前にプレゼンするときには、強い緊張を強いられたものです。しかし、だからこそプレゼン・スキルを磨き上げることができました。3分のプレゼンで「一発承認」される確率が確実に上がっていったのです。

 プレゼン技術で評価がアップ

　これが、いつしか社内で評価されるようになりました。
「君のプレゼンは通る確率が高い」と、直属の上司のみならず、他部署のトップからもプレゼン資料の作成を依頼されるようになったのです。
　孫社長の後継者育成機関であるソフトバンクアカデミアの第1期生に選抜されたときには、私の事業プレゼンが第1位を獲得。それを機にグループ会社をはじめ多くの業務に従事することとなりました。また、孫社長が行うプレゼンの資料を作成するチャンスも何度もいただくことができました。

　その後、役職が上がり、部署を任せられるようになると、それまでに培ったプレゼン・スキルを部下たちに徹底的に伝授。プレゼンのやり方をルール化することで、部署内の意思決定スピードを速めることに成功しました。もちろん、私の部署が提案する事業プレゼンもロジカルなプレゼンとなっていき、採択率が上がりました。
　その実績が評価され、社内認定講師制度のプレゼン講師を拝命。当時、ソフトバンクグループは、積極的なM&Aによって、毎年のようにグループ会社が増えていたため、出身母体によってプレゼンの仕方がバラバラで、決裁者が戸惑うケースが増加していました。そこで、会社の意思決定スピードを上げるために、私のプレゼン・スキルを社内に広げることを試みたのです。そして、私のやり方を実施した部署で、決裁スピードが1.5～2倍になることが実証されました（会議1時間当たりの決裁数で測定）。
　1年前に独立してからは、ソフトバンクはもちろん、ヤフー株式会社、株式会社ベネッセコーポレーション、某鉄道会社などの社内プレゼン研修を歴

任。多くの会社が意思決定スピードを上げるために、社員のプレゼン・スキルの向上に強い意欲をもっていらっしゃることを実感しています。

社内プレゼンは「資料」で9割決まる

　本書は、その社内プレゼン・ノウハウのすべてを公開するものです。
　私は、自分のプレゼンに自信をもっている人と出会ったことはほとんどありません。しかし、このノウハウを身につければ、誰でも確実に採択率を飛躍的に高めることができます。そして、自信をもってプレゼンできるようになります。
　そのために、まず解いていただきたい誤解があります。
　プレゼンというと、「話し方」が大事とよく言われます。たしかに、スティーブ・ジョブズが行うプレゼンやTEDのようなプレゼンでは、「話し方」「身振り手振り」など総合的な表現力が欠かせません。なぜなら、あのような不特定多数の人を対象としたプレゼンの目的は、聴衆の感情に訴えかけて、インパクトを与えたり、共感を集めたりすることにあるからです。
　しかし、社内プレゼンは、そうしたプレゼンとは根本的に異なります。社内プレゼンの対象は決裁者のみ。しかも、重要なのは感情ではなくロジックです。ビジネスのロジックに合致していれば、ほぼ間違いなく決裁を得ることができるのです。だから、普通の話し方で何の問題もありません。むしろ、ジョブズを生半可にマネても、かえって決裁者の心証を害するのがオチです。
　では、社内プレゼンの正否を決定づけるのは何か？
　資料です。私は、社内プレゼンは「資料（スライド）で9割決まる」と考えています。決裁者が意思決定するために必要な情報が、わかりやすく説得力をもって展開される資料をつくることができれば、当日は、それに沿って話すだけでOK。資料の内容に自信があれば、話し方にも自然と自信が備わります。その意味では、「資料が10割」と言ってもいいほどです。

　社内プレゼン資料のポイントは2つ。
　シンプルであること。そして、ロジカルであること。この2つです。

社内プレゼンにおいて、最大の失敗は「長い」ということです。ところが、多くのビジネスパーソンが、「あれも大事、これも大事」と情報を盛り込みすぎて、20〜30枚にも及ぶ資料をつくってしまいます。それだけで、決裁者は悪印象をもちます。プレゼンの途中で「やり直し」を命じられることもあるでしょう。しかも、情報が多ければ多いほどツッコミどころも増えますから、思わぬ指摘を受けて立ち往生する確率も増えるのです。

だから、社内プレゼンは3分で終えることを前提に、5〜9枚のスライド（本編スライド）でロジックを組み立てることを心がけるべきです。

これは、決して難しいことではありません。なぜなら、社内プレゼンのロジックのパターンはたった1つだからです。「①課題（どんな課題があるのか？）」→「②原因（その課題が生まれる原因は何か？）」→「③解決策（その原因を解消する具体策の提案）」→「④効果（提案内容を実施した場合の効果予測）」。この4つをきちんと示すことさえできれば、決裁者はGOサインを出します。細かい枝葉はそぎ落として、このロジックを最も強力に伝える要素だけを並べればいいのです。

さらに、1枚1枚のスライドも、「このスライドで何を伝えたいのか？」を一目で理解できるように、シンプルに加工する必要があります。細かい数字が書き込まれたグラフを貼り付けたスライドや、長々と文章を書き記したスライドなど、決裁者がスライドの意味を理解するのに10秒以上かかるものはアウト。本当に伝えるべき情報を絞り込んで、それがパッと目に飛び込んでくるように加工しなければなりません。

これも、難しいことではありません。「グラフの見せ方」「キーメッセージの見せ方」「ビジュアルとテキストの配置の仕方」などには、すべて「型」があるからです。その「型」に落とし込みさえすればOKなのです。

4分の1の労力で決裁スピード2倍！

本書では、これらの実践的ノウハウのすべてを紹介しました。

本書を参考にしながら、何度かプレゼン資料をつくれば、誰でも必ず身に

つけることができます。慣れてくれば、従来の約半分の時間でつくり終えることができるでしょう。しかも、一発で承認されることで、資料をつくり直す時間も減ります。私の経験上、プレゼンの準備に費やす時間は、約4分の1に減るはずです。そして、決裁スピードは2倍にアップ。まさに、「4分の1の労力で決裁スピード2倍」のプレゼン・ノウハウなのです。

　仕事で重要なのは、「何をやるか？」を考えること。
　そして、それを実行することです。
　その時間を最大化するためにも、決裁をとるための社内プレゼンは徹底的に効率化すべきです。それが、あなたの評価を格段に上げるのはもちろん、会社の事業スピードの向上、ひいては会社の業績アップにつながるのです。本書が、そのための一助となれば、それに勝る喜びはありません。

　　　2015年7月　　　　　　　　　　　　　　　　　　　　　　　　前田鎌利

社内プレゼンの資料作成術
Contents

はじめに ● 社内プレゼンは「資料」で9割決まる ……2

第1章 プレゼン資料は「シンプル＆ロジカル」でなければならない

Lesson 1 スライドは「5～9枚」でまとめる ……18

- 社内プレゼンは「3分」で終わらせる
- 「5～9枚」を超えると、よくわからないプレゼンになる

Lesson 2 社内プレゼン資料は、「4つのパーツ」で構成される ……21

- 社内プレゼン資料の全体像をつかむ
- 本編スライドは「現状報告＋提案」で構成する

Lesson 3 プレゼンは「ワンテーマ」に絞る ……26

- テーマを絞ってシンプルに
- 一歩ずつ「陣地」を広げる戦略が正解

Lesson 4 プレゼンのストーリーは1つだけ覚えればOK ……29

- 優れたプレゼンは「ロジックがシンプル」である
- 「なぜ？」「だから、どうする？」「すると、どうなる？」

Lesson 5 プレゼン資料は、「根拠→結論」を積み上げる ……32

- 必ず「結論」と「根拠」はワンセットで示す
- 鉄壁なロジックの組み立て方

Lesson 6 本編スライドは、最も「骨太な要素」だけで構成する ……38

- 「あれもこれも説明しよう」としない
- 決裁者にとって「最重要な要素」は何か？

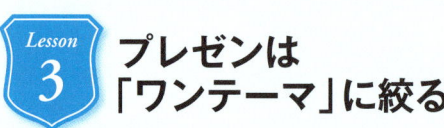
Lesson 7 「2案」を提案して、採択率を上げる ……41

- 選択肢があると、人は「選ぼう」とする
- 「メリット・デメリット」を1枚のスライドにまとめる
- どちらの案を推すのか明確にする

社内プレゼンで絶対に押さえるべき「3つのポイント」 45

- 「本当に利益を生み出すのか?」という財務的視点
- 「現場でうまく回るのか?」という実現可能性
- 「経営理念」に合致した提案であるか?

いきなりスライドをつくり始めない 49

- まずは「一人ブレスト」でスライド・イメージを磨く
- 関係部署のスタッフとブレストをする

第2章 プレゼン資料を「読ませて」はならない

表紙には、「会議名」と「日付」を明記する 54

- スライドサイズは「企業文化」に合わせて選択する
- タイトルは「13文字」以内で簡潔に
- ページ番号は「スライド右下」に入れる

Lesson 11　キーメッセージは、スライド中央より「やや上」に置く …… 59

- キーメッセージのフォントは1つだけ
- キーメッセージのフォントサイズは50〜200
- キーメッセージはブロック単位で「やや上」に置く

Lesson 12　キーメッセージは、「13文字」以内にまとめる …… 64

- キーメッセージを読ませてはいけない
- 最重要ポイント以外はすべてカットする

Lesson 13　ポジティブ・メッセージは「青」、ネガティブ・メッセージは「赤」 …… 67

- 1枚のスライドで3色まで
- 「青」と「赤」を使い分ける
- 事業フローはグラデーションで示す

Lesson 14　「定型フォーマット」を用意しておく …… 71

- スライドの「定型化」で資料づくりを効率化する
- スケジュールはビジュアルで見せる
- プレゼン資料は、社内・部署内で統一する

第3章 グラフは「一瞬」で理解できるように加工する

Lesson 15 「ワンスライド＝ワングラフ」の鉄則 ……76

- 考えさせないグラフが「優れたグラフ」
- プレゼンに「必要なデータ」だけ見せる

Lesson 16 グラフは「左」、メッセージは「右」 ……80

- グラフとメッセージを「縦」に並べない
- 「逆L字」で目線を誘導する
- 「逆L字」をアニメーションで展開する

Lesson 17 余計な「数字」「罫線」は、すべてカットする ……86

- グラフは「見せたいもの」だけ見せる
- 意味が通るギリギリまでカットする
- 矢印を使って「増減」を印象づける

棒グラフで「これ」はNG
...... 92

- 「省略の波線」は使わない
- 「3Dグラフ」「横棒グラフ」はNG

円グラフは「ワンカラー効果」で印象づける
...... 95

- 「ワンカラー」+「グレーのグラデーション」
- 「数字」を強調してパワースライドにする

Lesson 20
折れ線グラフは「角度」をつける
...... 98

- 折れ線グラフの"お尻"に数字を置く
- 「凡例」はグラフのなかに入れ込む
- グラフの横幅を狭めて、折れ線に「角度」をつける

アンケート調査のグラフは、「読ませない」ようにする
...... 101

- アンケート調査は「横棒グラフ」か「円グラフ」
- アンケート項目は「単語」に置きかえる

データは「画像」で検索する
...... 106

- 「1年以内の期間指定」で検索する
- データは「画像」としてネット上に存在している

第4章 決裁者の理解を助ける「ビジュアル」だけ使用する

Lesson 23 決裁者の理解を助ける「写真」だけ使用する …… 112

- 共感を得るための「写真」は逆効果
- 「写真」で直感的に理解させる
- 美形すぎるモデル写真はNG

Lesson 24 「写真」の検索は画質重視 …… 117

- 「1000px×1000px」以上の画質を使う
- 「顔」検索でほしい画像に最速でたどり着く

Lesson 25 アニメーションでロジックを強化する …… 120

- アニメーションの多用は逆効果
- 決裁者の目線を確実に誘導する
- 「変形」「マジックムーブ」で最強スライドにする

第5章 100%の「説得力」をもつ資料に磨き上げる

Lesson 26 プレゼンの成否は「アペンディックス」で決まる …… 128

- 本編から落とした要素はアペンディックスへ
- アペンディックスは最低限の加工でOK

Lesson 27 「想定FAQ」でアペンディックスを完璧に整える …… 131

- 決裁者の目線でスライドを懐疑的に見つめる
- グラフの「異常値」を見逃さない

Lesson 28 プレゼン資料はトリプルチェックを受ける …… 135

- 完成した資料は、最低1日は寝かせる
- 必ずスライドを実写で確認する
- トリプルチェックで「味方」を増やす

Lesson 29 決裁者の特徴に合わせてスライドをアレンジする …… 139

- ハーマンモデルで「決裁者」を見極める
- 決裁者4タイプの「傾向」と「対策」

Lesson 30 「1分バージョン」も用意しておく ······ 145

- 1分バージョンは「解決策」→「効果」→「原因」
- 「現状報告」をミニマムにする

第6章 プレゼン本番は資料に沿って話すだけ

Lesson 31 完璧な資料さえあれば、それに沿って話すだけでOK ······ 150

- スライドとトークが馴染むまで最低20回は練習する
- 練習中の「小さな違和感」を大切にする

Lesson 32 決裁者の「左目」を見て話す ······ 152

- トークのなかで「間」は取らない
- 決裁者だけを、まっすぐ見つめる
- 「左目」を見て自信を伝える

誰に質問されても、決裁者に向かって答える …… 154

- 沈黙を恐れない、聞かれたことだけ答える
- 最重要人物に集中する

決裁されない理由を、必ず明確にする …… 156

- 答えられないときは、「わかりません」と正直に言う
- 最短距離で採択される鉄則

あとがき ● 「会社のため」と"念い"を込める …… 158

- カバーデザイン／奥定泰之
- 本文デザイン・DTP／斎藤 充（クロロス）
- 企画協力／株式会社スタックアップ
- 編集協力／田中裕子
- 編集担当／田中 泰

プレゼン資料は「シンプル&ロジカル」でなければならない

スライドは「5〜9枚」でまとめる

 社内プレゼンは「3分」で終わらせる

社内プレゼンをするうえで、最も大切なことは何か？
決裁者の立場に立って考えることです。提案内容を、彼らが理解しやすく、納得できるように伝えるためには、どうすればいいか？ それを、徹底的に考えるのです。そして、そのために必要なことだけやり、その妨げになることはやらない。これが、社内プレゼンの最重要ポイントです。

では、決裁者にとって最も迷惑なことは何でしょうか？
ムダに時間を奪うことです。決裁者はとにかく忙しい。しかも、限られた会議時間のなかで次々と意思決定をしなければなりません。だから、彼らは、ダラダラと要領を得ないプレゼンを最も嫌うのです。

そのため、社内プレゼンは3分で終わらせるのが基本。長くても5分以内で終わらせます。どんな案件でも、3〜5分あれば、提案の骨子を説得力をもって伝えることは可能です。むしろ、その時間内に収められないのは、提案のポイントが十分に整理できていない証拠だと考えるべきです。

もちろん、プレゼン終了後、決裁者から質問が飛んで、補足説明をする必要が生じることもあります。あるいは、提案の是非をめぐって議論が始まることもあるでしょう。この時間は、「3〜5分」には含めません。

ときには、プレゼン後の議論が長時間に及ぶこともありますが、それは問題ありません。むしろ、ここで議論が深まるのは、決裁者の意思決定の質を高めるためにも有意義と言えるでしょう。その時間を確保するためにも、プレゼン自体は3〜5分で簡潔に終わらせるべきなのです。

では、そのためには、どうすればいいのでしょうか？
簡単です。プレゼン資料のスライド数を絞り込むことです。なかには、「あ

れも伝えなければ、これも伝えなければ……」と20枚も30枚もスライドを用意する人もいますが、それではとても3～5分でプレゼンを終えることはできません。プレゼンは、資料に沿って進めるものです。いわば、資料はプレゼンのシナリオ。このシナリオの分量が多ければ、自然とプレゼンは長くなってしまいます。逆に、簡潔なシナリオをつくれば、それだけで確実にプレゼンは短くなるのです。

　だから、プレゼン資料は5～9枚にまとめなければなりません（図1-1）。

　この「5～9枚」には、表紙や目次、ブリッジ・スライドは含みません。本編スライドだけで5～9枚に収めればOK。この制約を意識して、伝える内容を絞り込めば、必ず3～5分でプレゼンを終えることができます。

「5～9枚」を超えると、よくわからないプレゼンになる

　スライドを5～9枚にまとめるのは、プレゼンを短くする効果があるだけ

図 1-1　表紙やブリッジ・スライドを除く本編で5～9枚

1 表紙	2 ブリッジ・スライド	3 本編スライド①	4 本編スライド②
5 本編スライド③	6 ブリッジ・スライド	7 本編スライド④	8 本編スライド⑤
9 本編スライド⑥	アペンディックス（別添資料）	ブリッジ・スライド	本編

ではありません。さらに重要な意味があります。スライドの枚数が5〜9枚を超えると、とたんによくわからないプレゼンになるのです。

　この法則は、アメリカの認知心理学者であるジョージ・ミラーが提唱した「マジカル・ナンバー」に基づくものです。ミラーは、人間が瞬間的に記憶できる情報量の限界は「7±2」であることを発見。この「7±2」をマジカル・ナンバーと名づけたのです。

　マジカル・ナンバーは、至るところで活用されています。例えば、電話番号は「〇〇〇-〇〇〇-〇〇〇〇」と区切って表記されますが、それは「〇〇〇〇〇〇〇〇〇〇」と表記すると数字を把握できないからです。ハイフンによって、1つの情報の塊を「7±2」に収まるようにしているのです。

　社内プレゼンも同じです。スライドの数が「7±2」を超えると、決裁者はプレゼンの内容を理解することが難しくなります。提案者は、何度も提案内容について検討してきていますから、20〜30枚のスライドでも正確に内容を把握できるでしょう。しかし、決裁者にとっては、はじめて接する情報です。どんなに優秀な人物でも、スライドの枚数が「7±2」を超えると、その場でプレゼンの内容を理解することができなくなってしまうのです。

　だから、スライドは5〜9枚でまとめるようにしてください。それが、「一発承認」を勝ち取る絶対法則なのです。

　ただし、5〜9枚に収めるために、1枚のスライドに無理やり情報を詰め込むのはNGです。たとえば、1枚のスライドにグラフを2つ載せると、そのスライドの内容を理解するのが難しくなります。1枚1枚のスライドもシンプルにするのが鉄則。ですから、そのような場合には、スライドの枚数を増やして、1枚のスライドに1つのグラフを載せるようにして構いません。

　まずは、5〜9枚をめざして情報を絞り込む。それでも、どうしても収まり切らない場合には、スライドを追加するようにしてください。

Lesson 2 社内プレゼン資料は、「4つのパーツ」で構成される

 社内プレゼン資料の全体像をつかむ

　ここでは、社内プレゼン資料の全体像を解説します。
　【図2-1】をご覧ください。基本的に、社内プレゼン資料は、「表紙」「ブリッジ・スライド」「本編スライド」「アペンディックス（別添資料）」の4つのパーツからなります。そして、「本編スライド」は、「現状報告（「課題」とその「原因」）」と「提案（「解決策」とその「効果」）」を示すスライドで構成されます。社内プレゼンは、すべてこのパターンで対応可能です。
　これから、それぞれの役割をざっくりとお伝えしますので、まずは、資料

図2-1　社内プレゼン資料の全体像

1. 表紙
2. ブリッジ・スライド
3. 本編スライド（5〜9枚）
　①現状報告（「課題」とその「原因」）
　②提案（「解決策」とその「効果」）
4. アペンディックス（別添資料）

全体のイメージをつかんでいただきたいと思います。

【図2-2】はそれぞれのスライドのイメージを示しています。それを見ながら、各々のポイントをご説明します。

　まず、表紙。これは、必ずつけるようにしてください。スライド中央にプレゼンの議題を大きく表示することで、決裁者に「何をテーマにしたプレゼンか？」を一瞬で伝える役割があります。「何について話すのか？」が明確でないままプレゼンが始まれば、決裁者は趣旨をつかむために余計な労力を費やさなければなりません。プレゼンの本題に集中してもらうのが、承認のための必須条件。端的にプレゼンのテーマを示す、短いタイトル（13文字以内）をつけるように心がけてください。

　次に、ブリッジ・スライド。
　これは、次の話題への「架け橋」として活用するスライドです。
　たとえば、【図2-3】のように「現状報告」と「改善案」という言葉を掲載したブリッジ・スライドを用意して、本編の「大きな流れ」を示すと効果的です。また、2つのアイデアを提案して、どちらか一方を選んでもらうスタイルのプレゼンをするときには、それぞれの提案内容の説明に入る前に、「これから、この2案を提案します」という趣旨のブリッジ・スライドをはさむとわかりやすいプレゼンになるでしょう（詳細はLesson 7）。
　ただし、ブリッジ・スライドは、必なければならない性質のスライドではありません。提案内容がごくシンプルなものであれば、特にブリッジ・スライドを作成する必要はありません。提案内容がやや複雑なときには、決裁者が頭を整理しやすくなるように、丁寧にブリッジ・スライドをはさむことを心がけるようにしてください。

本編スライドは「現状報告＋提案」で構成する

　最も重要なのは、もちろん本編スライドです。
　これを5〜9枚で、説得力をもって構成するために最大の知恵を絞ります。

図 2-2　社内プレゼン資料のイメージ

1. 表紙

○○会議資料
店舗来客数の
改善提案
20××年×月×日
○○事業部

2. ブリッジ・スライド

☐ 現状報告
☐ 改善案

3. 本編スライド
　（5〜9枚）
　①現状報告
　　（「課題」とその「原因」）
　②提案
　　（「解決策」とその「効果」）

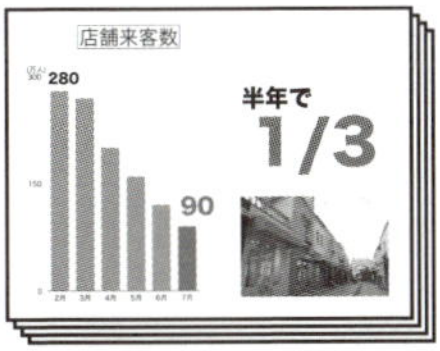

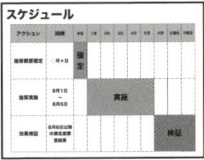

4. アペンディックス
　（別添資料）

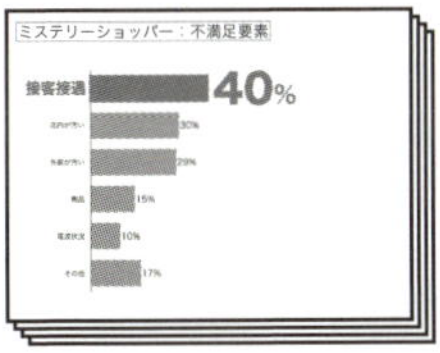

第1章　プレゼン資料は「シンプル＆ロジカル」でなければならない

図2-3　ブリッジ・スライドのイメージ

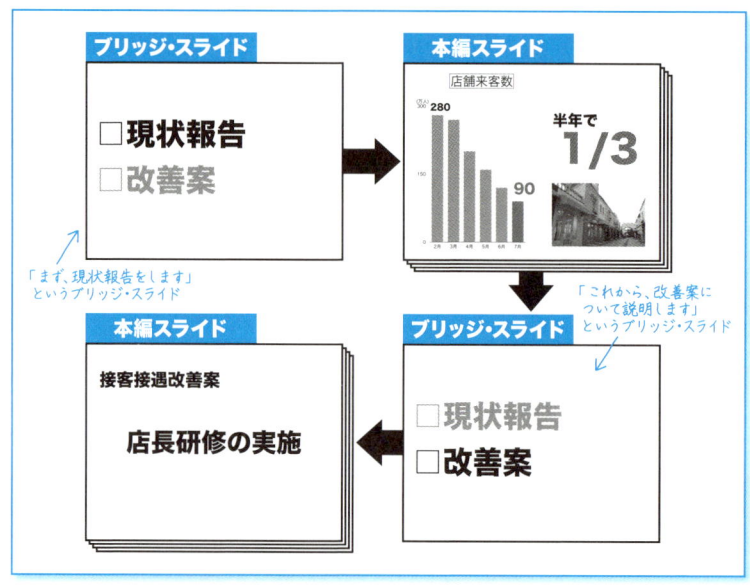

　この本編スライドは、大きく「現状報告」と「提案」の2つのパーツに分かれます。Lesson 4で詳しくご説明しますが、「現状報告」では、第1に「どんな課題があるか？」を明らかにしたうえで、第2に「その課題が生じる原因は何か？」を提示します。それを踏まえて、「提案」において、「その原因を解消する解決策」を提案するとともに、「その解決策を実施した結果、期待される効果」を示します。

　また、本編スライドの最後には、提案内容の概要を1枚にまとめた「概要スライド」を示します。ここで絶対に押さなければならない情報が「事業実施に必要なコスト」と「スケジュール」。これは定型フォーマット化しておくと便利です（Lesson 14参照）。この概要スライドも含めて「5〜9枚」ですから、ご注意ください。

　そして、最後にアペンディックス（別添資料）です。
　これは、本編スライドには盛り込むことができなかったデータや、本編ス

図 2-4　本編スライドの大きな構成

①現状報告
■何が「課題」か？
■その課題の生じる「原因」は何か？

②提案
■「原因」を解消する「解決策」
■「解決策」を実施した「効果予測」

ライドの補足説明に必要なデータなどをストックした「資料集」です。プレゼン終了後、決裁者などから出される質問・疑問に回答するときにスクリーンに映し出します。このアペンディックスに不備があると、「十分な検討がされていない」「決裁するには至らない」と決裁者に判断されてしまいますから、非常に重要な役割を担っていると言えるでしょう（Lesson 26～27参照）。

　以上のように、社内プレゼン資料は、「表紙」「ブリッジ・スライド」「本編スライド」「アペンディックス」の４つのパーツから構成されます。この全体像を頭に入れていただいたところで、次のLesson 3から、５～９枚のスライドで説得力のある「本編スライド」をつくる方法についてご説明してまいります。

プレゼンは「ワンテーマ」に絞る

 テーマを絞ってシンプルに

プレゼン資料を5～9枚にまとめる──。

これが、社内プレゼンの鉄則です。そのためには、どうすればいいか？

まず第1に、テーマを絞ることです。当たり前のことですが、複数のテーマについて一度にプレゼンをしようとすれば、伝えなければならない情報は増えます。その結果、5～9枚に収めるのが難しくなるのです。

だから、「ワンプレゼン＝ワンテーマ」が基本です。「あれもこれも」と一度に複数のテーマを扱おうとするのではなく、「あれ」と「これ」を小分けにして、1つずつ着実に決裁を積み上げることを心がけるようにしてください。それが、プレゼン資料を5～9枚に収め、わかりやすいプレゼンを行う第一歩なのです。

たとえば、次のようなケースを考えてみましょう。

ある小売企業で店舗への来客数が大幅に減少していたため、経営陣から対応策を考えるように指示があったとします。部署内であらゆる問題を洗い出して検討した結果、「接客接遇の改善」「店舗のクリーンネス（清掃）」「店舗外装の変更」「什器の入れ替え」などの施策を総合的に進めるべきだと結論。「接客接遇研修の内容」「外装のデザイン」「什器の選定」「スタッフに徹底させる清掃ルール」など、それぞれの詳細を詰めていきました。

この場合、提案内容のすべてを1回のプレゼンで済まそうとすれば、5～9枚の資料に収めるのはきわめて難しいでしょう。すべてを同時に進めるのか？　それとも、優先順位をつけて順次スタートするのか？　接客接遇を優先するならば、なぜ、それを優先するのか？　どんな研修内容なのか？　外

装のデザインをどう変えるのか？　どんな什器を選ぶのか？　どんな清掃ルールなのか？　そのルールはオペレーション可能なのか？　予算はいくら？　実施スケジュールは？　実施した効果は？　このように、説明しなければならないことが多すぎるからです。

　私ならば、次のようなステップに分けてプレゼンすることを考えます。
　まず、一連の施策を総合的に進めることを提案するプレゼンをします。そのうえで、最優先すべき施策として「接客接遇の研修」の承認を得、その後、順次、「清掃のルール化」「什器入れ替え」「外装変更」と各論についてのプレゼンを個別に積み重ねるのです。
　このようにテーマを小分けにすれば、それぞれ5～9枚の資料にまとめることが容易になります。もちろん、5～9枚の資料にまとめられるのであれば、2つのテーマをまとめてプレゼンしてもOKですが、慣れないうちはできるだけテーマを分けるようにしたほうがいいでしょう。

図 3-1　テーマを小分けにして「シンプルなプレゼン」にする

	対象	アクション
接客待遇改善	①研修の実施	店長研修
ショップクリーンネス	②清掃の徹底	清掃のルール化 ミステリーショッパー導入
店舗	③什器入れ替え	什器デザイン刷新 什器刷新店舗の選定 什器入れ替え実施
店舗	④外装変更	外装変更店舗の選定 外装変更の実施

①→②→③→④の順にプレゼンを行う

一歩ずつ「陣地」を広げる戦略が正解

　テーマを小分けにする効果は、シンプルなプレゼンにすることだけではありません。もうひとつ重要な意味があります。そうすることで、着実に自分の「陣地」を広げていくことができるのです。
　どういうことか？
　たとえば、「店舗外装の変更」の具体策についてプレゼンしたところ、「新しい外装デザインがイメージに合わない」と差し戻しになったとします。しかし、「すでに店舗外装の変更」を行うことの決裁を得ているならば、次回、デザインについて再度プレゼンするだけで済みます。つまり、それまでのプレゼンで確保した「陣地」のラインを越えて撤退する必要がないのです。
　もしも、すべてを１回のプレゼンに盛り込んでいたらどうなるでしょうか？「あれもこれも」と詳細にわたるプレゼンをすると、往々にして細部をつつくような指摘がされるものです。おそらく「外装デザイン」だけではなく、「あれもこれも」とダメ出しをされる。その結果、すべてを差し戻されてしまう危険性があるのです。そうなると、獲得した「陣地」はゼロ。それまでに積み重ねた努力と時間がすべてパーになってしまうのです。これでは、あまりに非効率です。
　だから、テーマを小分けにして、１つひとつ決裁を積み上げることで、着実に「陣地」を広げる戦略が重要なのです。

　しかも、テーマを小分けにすることによって、提案にもスピード感が生まれます。詳細まですべてを決めてからプレゼンしようとすると、どうしても時間がかかってしまいます。それでは、会社の事業スピードが上がらないのはもちろん、「いつまでかかるんだ？」と決裁者の心証を悪くしてしまいます。
　それよりも、テーマを小分けにして、短いサイクルで次々と決裁を取っていったほうがいい。まず大きな方針について決裁を得て、そのうえで詳細についての決裁を得ていくイメージです。それだけで、決裁者は「ちゃんと検討を進めているんだな」と安心するとともに、あなたに対する信頼感も強くするはずです。この心理も採択率を高める要因となるのです。

プレゼンのストーリーは1つだけ覚えればOK

優れたプレゼンは「ロジックがシンプル」である

プレゼンはわかりやすくなければなりません。

では、わかりやすいプレゼンとは何か？ シンプルなロジックで展開されるプレゼンです。「ロジック（論理）」などという言葉を使うと、小難しい印象をもたれるかもしれませんが、何も難しいものではありません。なぜなら、社内プレゼンで必要なロジックはたった1つだからです。その論理展開（＝ストーリー）に沿ってプレゼン資料をまとめれば、必ずわかりやすいプレゼンになるのです。それが、【図4-1】のストーリーです。

図4-1　社内プレゼンのストーリー

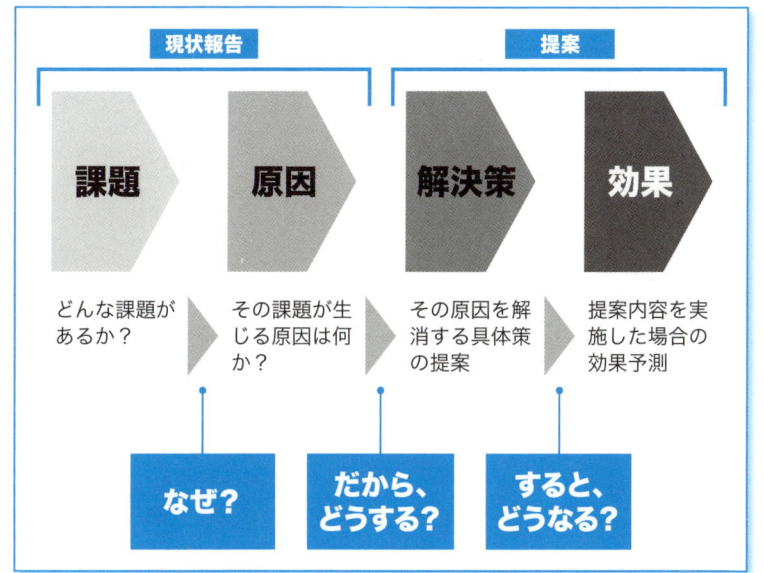

「1課題」「2原因」「3解決策」「4効果」の4つが、この順番で並んでいること。そして、それぞれが「なぜ？」「だから、どうする？」「すると、どうなる？」という言葉で繋がっていること。それだけでロジカルなプレゼンになります。社内プレゼンは、このストーリーさえ覚えておけばOKなのです。

「なぜ？」「だから、どうする？」「すると、どうなる？」

具体的に考えてみましょう。

Lesson 3の小売企業の場合であれば、「課題」は「店舗来客数の大幅減少」となります。

次に、「なぜ？」という問いかけに対する答えを打ち出します。おそらく、部署内での検討段階で、顧客アンケート、スタッフアンケート、あるいはミステリーショッパーの調査などあらゆる方法で、「来客数減の原因」を追求したはずです。その結果、「接客接遇の不評」「店舗が汚れている」「店舗外装の陳腐化」「什器が古い」などの原因が見えてきたわけです。

テーマは小分けにするのが鉄則。ですから、このように「原因」が複数あるときには、どれか1つの原因に絞ると、わかりやすいプレゼンになります。そこで、ここでは「接客接遇の不評」をテーマにプレゼンを展開することを考えることにします。ちなみに、ここまでが「現状報告」に当たるパーツになります。

続いて、「だから、どうする？」という問いかけに答えます。「来客数減」の原因が「接客接遇の不評」にあるという現状に対して、「こうすれば、その原因を解消できる」と提案するわけです。「店長に対する接客接遇研修を実施しよう」「いや、スタッフ全員に研修をしたほうがいいのではないか？」「接客接遇マニュアルを配布するのはどうか？」……。部署内では、さまざまな議論がされたはずです。そのなかで最も有効な解決策を提案するわけです。

ここで忘れてはならないのは、必要なコストとスケジュールもあわせて提示することです。解決策の提案は、必ず「コスト」と「スケジュール」とワ

図 4-2　具体的なストーリーのイメージ

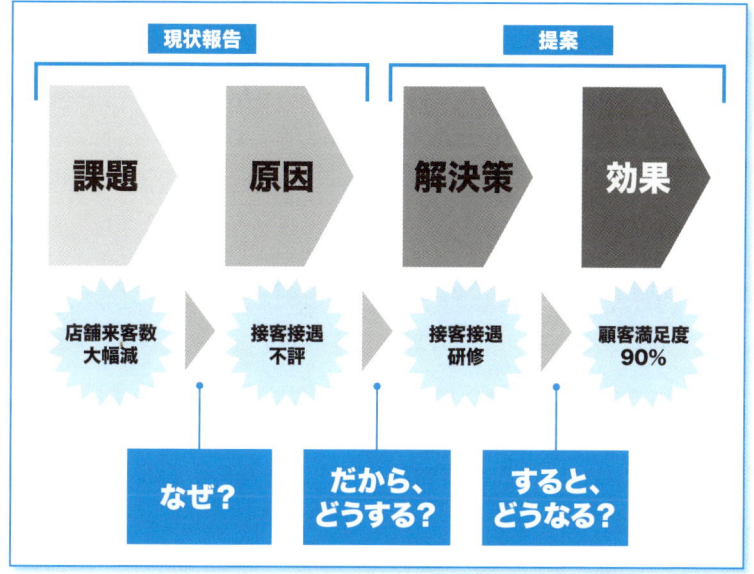

ンセット。これが、社内プレゼンの鉄則です。

　さらに、「すると、どうなる？」という問いに答えます。

　たとえば、「店長に対する接客接遇研修」を提案するのならば、費用対効果を試算するなどして、その「効果」をできる限り具体的に示すのです。もちろん、実際にやってみなければ、どのような効果が生まれるかはわかりませんが、できるだけ精度の高い試算を示す努力をします。その効果が大きいことを、説得力をもって伝えることができれば、決裁者はGOサインを出すに違いありません。

　このように「1課題」「2原因」「3解決策」「4効果」の4つの要素をきちんと提示できれば（図4-2）、ロジカルでわかりやすいプレゼンになります。そして、決裁者は意思決定をすることができるのです。

プレゼン資料は、「根拠→結論」を積み上げる

必ず「結論」と「根拠」はワンセットで示す

　ロジカルなプレゼン資料をつくるためには、もう１つ重要なポイントがあります。それは、必ず「結論」と「根拠」をワンセットで提示するということです（図5-1）。しかも、その「根拠」は可能な限りデータで示さなければなりません。

　Lesson 3以降で例示している小売企業のケースで具体的にご説明します。

　あのケースにおいて、まず「接客接遇研修」を提案するのであれば、なぜ、「清掃の徹底」や「外装の変更」よりも「接客接遇研修」を優先するのかにつ

図 5-1　「根拠→結論」を明確に示す

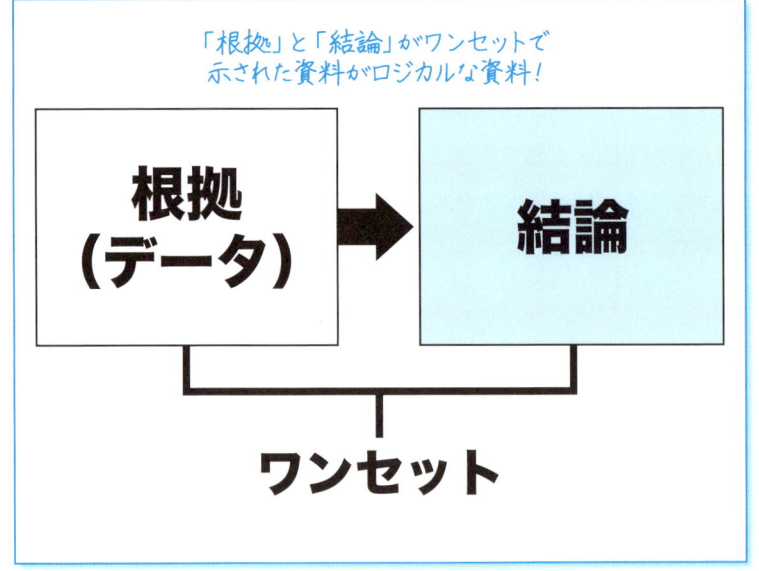

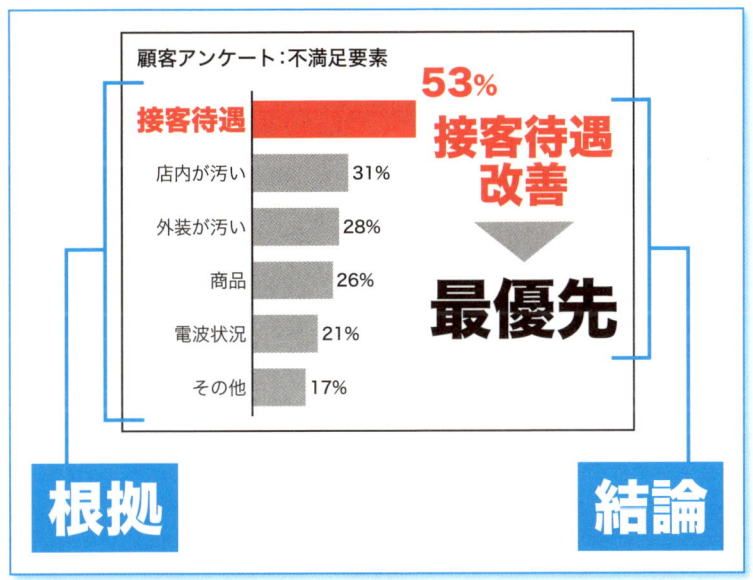

図 5-2　「根拠→結論」を明示したスライド

いて説得力のある根拠（データ）を見せる必要があります。

　そのためには、【図5-2】のように、「顧客アンケート」の結果、「接客接遇」が顧客の不満足要素のトップであることを示さなければなりません。そうすれば、決裁者は「なるほど、たしかに接客接遇改善を最優先にすべきだ」と納得してくれるに違いありません。

　このように、プレゼン資料は必ず「根拠（データ）→結論」をワンセットで示さなければなりません。これが、ロジカルなプレゼン資料をつくるうえでの大鉄則なのです。

鉄壁なロジックの組み立て方

　さらに、この「根拠→結論」が、「課題」→「原因」→「解決策」→「効果」というプレゼン・ストーリーとうまくかみ合うように構成します。

　具体的に見てみましょう。【図5-3】をご覧ください。

図 5-3　「根拠→結論」とストーリーがかみ合ったロジカルなスライド

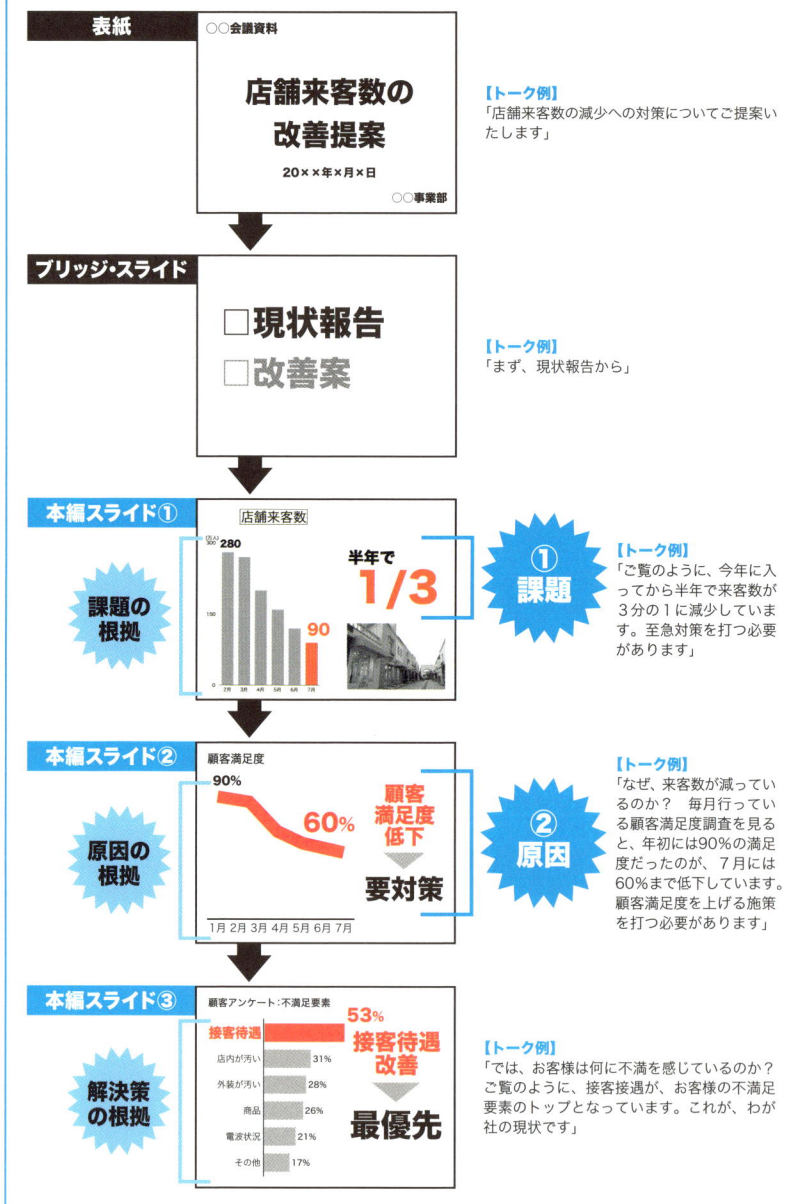

ブリッジ・スライド

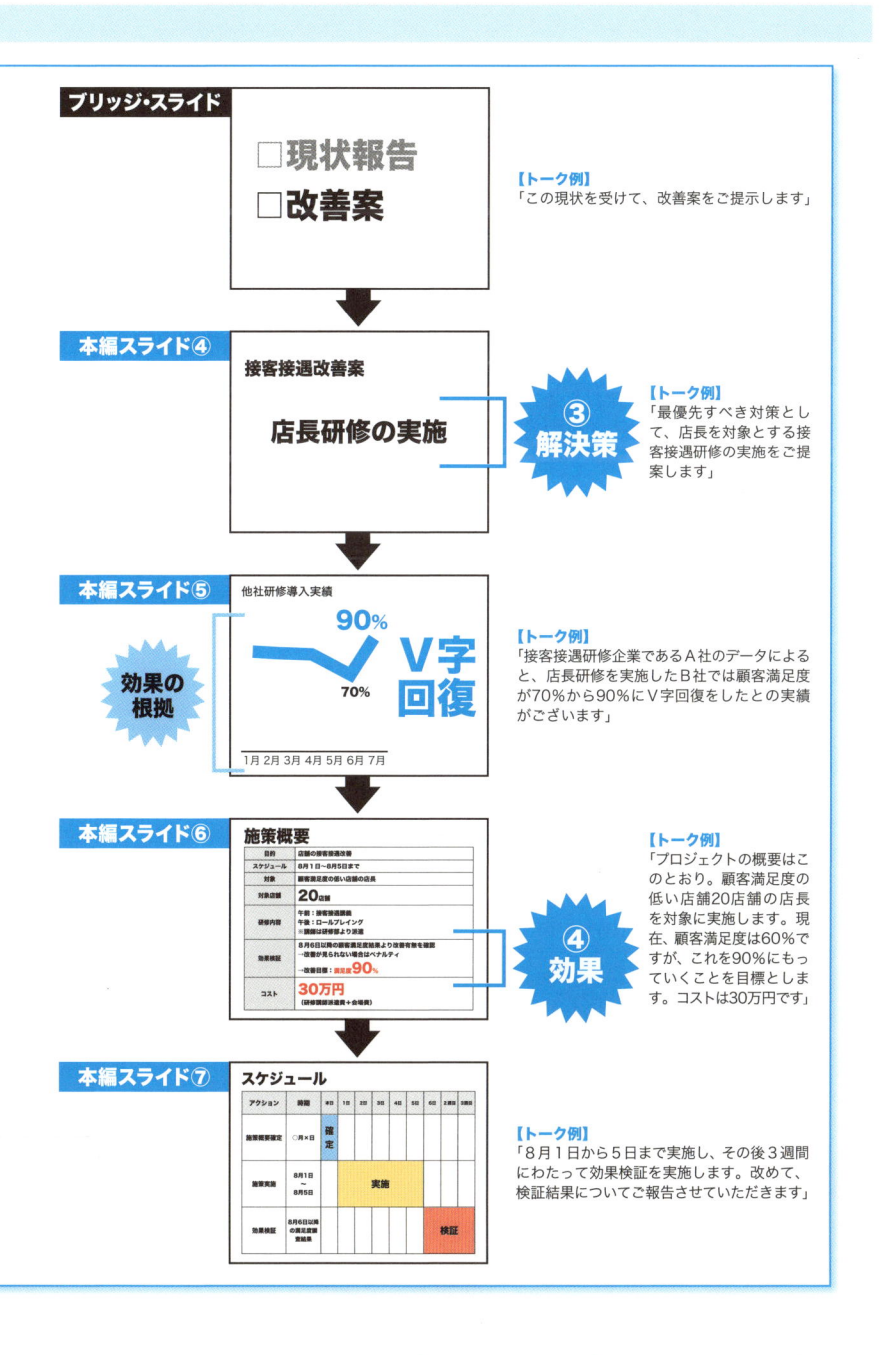

☐ 現状報告
☐ 改善案

【トーク例】
「この現状を受けて、改善案をご提示します」

本編スライド④

接客接遇改善案

店長研修の実施

③ 解決策

【トーク例】
「最優先すべき対策として、店長を対象とする接客接遇研修の実施をご提案します」

本編スライド⑤

他社研修導入実績

90%
70%
1月 2月 3月 4月 5月 6月 7月

V字回復

効果の根拠

【トーク例】
「接客接遇研修企業であるA社のデータによると、店長研修を実施したB社では顧客満足度が70%から90%にV字回復をしたとの実績がございます」

本編スライド⑥

施策概要

目的	店舗の接客接遇改善
スケジュール	8月1日～8月5日まで
対象	顧客満足度の低い店舗の店長
対象店舗	20店舗
研修内容	午前：接客接遇講義 午後：ロールプレイング ※講師は研修専任から派遣
効果検証	8月6日以降の顧客満足度実施月より改善有無を確認 一改善が見られない場合はペナルティ 一改善目標：満足度 90%
コスト	30万円 （研修講師派遣費＋会場費）

④ 効果

【トーク例】
「プロジェクトの概要はこのとおり。顧客満足度の低い店舗20店舗の店長を対象に実施します。現在、顧客満足度は60%ですが、これを90%にもっていくことを目標とします。コストは30万円です」

本編スライド⑦

スケジュール

アクション	期間	本日	1週	2週	3週	4週	5週	6週	2週間	3週間
施策概要確定	○月×日	確定								
施策実施	8月1日～8月5日まで		実施							
効果検証	8月6日以降の顧客満足度実施結果					検証				

【トーク例】
「8月1日から5日まで実施し、その後3週間にわたって効果検証を実施します。改めて、検証結果についてご報告させていただきます」

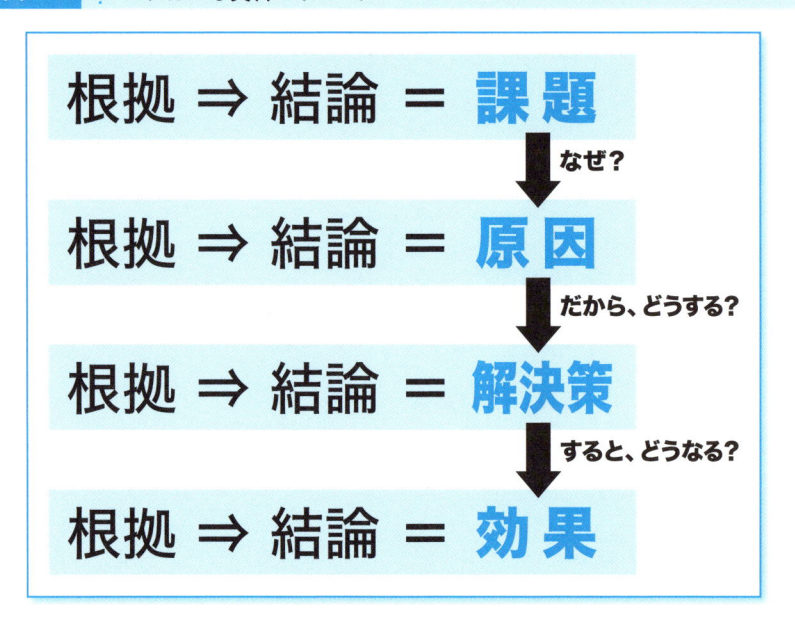

図 5-4　ロジカルな資料のイメージ

```
根拠 ⇒ 結論 = 課題
            ↓ なぜ？
根拠 ⇒ 結論 = 原因
            ↓ だから、どうする？
根拠 ⇒ 結論 = 解決策
            ↓ すると、どうなる？
根拠 ⇒ 結論 = 効果
```

　これは、「来客数の減少」という課題に対する解決策を提案するプレゼンのスライドです。プレゼンのストーリーは次のとおり。まず、「来客数の減少」という課題の原因は「顧客満足度の低下」にある。この原因を解決する最重要ポイントは「接客接遇の改善」。だから、「店長に対する接客接遇研修の実施」という解決策を提案する。すると、「顧客満足度が90％にまで上昇」という効果が期待できるというわけです。

　このストーリーは、「なぜ？」「だから、どうする？」「すると、どうなる？」という因果関係がしっかりとロジカルに組み立てられています。さらに、次のとおり、「課題」「原因」「解決策」「効果」の「根拠（データ）」も、すべて明確に示されています。

- 「課題」＝「来客数の低下」←【根拠】来客数低下を示すグラフ
- 「原因」＝「顧客満足度の低下」←【根拠】顧客満足度低下を示すグラフ
- 「解決策」＝「店長に対する接客接遇研修の実施」←【根拠】顧客アンケート

●「効果」＝「顧客満足度が90％にまで上昇」←【根拠】他社の実績データ

　このように、「課題」→「原因」→「解決策」→「効果」というプレゼンのストーリーが、しっかりと「根拠→結論」で支えられていることが、ロジカルなプレゼン資料の条件なのです（図5-4）。

Lesson 6 本編スライドは、最も「骨太な要素」だけで構成する

「あれもこれも説明しよう」としない

シンプル&ロジカルなプレゼン資料——。

これが、社内プレゼンを成功させる鉄則です。ここまで、そのコツをお伝えしてきましたが、シンプルな資料にするためには、もう1つ重要なポイントがあります。それは、「あれもこれも説明しよう」としてはならない、ということです。

私たちは、企画や事業内容を検討する際に、数多くのデータを集めます。そして、根拠をしっかりと固めてから、プレゼン資料の作成に着手します。これは、当然のことです。ところが、これが複雑なプレゼン資料を生み出す原因ともなってしまうから、要注意です。

というのは、「抜け漏れ」のないロジカルな資料をつくるために、私たちは、検討過程でかき集めたデータや要素のすべてを盛り込もうとしてしまいがちだからです。

もちろん、資料は徹底的にロジカルでなければなりません。しかし、本編資料に「あれもこれも」と要素を盛り込めば、とてもではありませんが「5〜9枚」に収めることはできません。結果として、決裁者にとって非常にわかりづらいプレゼンになってしまうのです。

では、どうすればいいのでしょうか？

取捨選択をするしかありません。

本編スライドには、決裁者を説得するに足る、最も強力な要素だけを盛り込んで、骨太なロジックだけを示す。それ以外の補足的な要素は、すべてアペンディックス（別添資料）にもっていくのです（図6-1）。そして、プレゼン後に決裁者から「この件は検討しなかったのか？」などと質問されたとき

図 6-1 ▶ 本編スライドでは骨太なロジックだけ示し、それ以外はアペンディックスへ

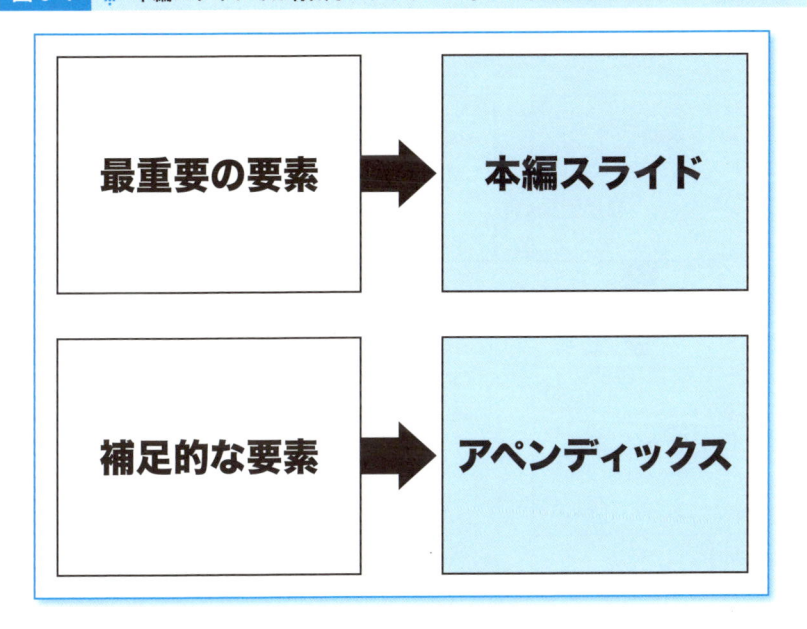

```
最重要の要素  ➡  本編スライド

補足的な要素  ➡  アペンディックス
```

に、アペンディックスから該当するスライドを表示して、適宜説明していけばいいのです。

決裁者にとって「最重要な要素」は何か？

　たとえば、Lesson 5 の「店長研修」のケースであれば、おそらく「接客接遇研修を最優先すべき」ことを裏付けるためにさまざまなデータを確認したはずです。顧客アンケートを取るのはもちろん、ミステリーショッパーに調査を依頼したかもしれませんし、現場で働いているスタッフのアンケートも取ったかもしれません。あるいは、インターネット上で自社店舗に関する書き込みを集めて分析したかもしれません。しかし、これらすべての要素を本編スライドに盛り込めば「5〜9枚」には収まりません。

　そこで、決裁者にとって最も説得力のある要素だけを本編に盛り込み、それ以外はアペンディックスに収めるのです。34〜35ページに示した本編スラ

図 6-2 補足的なスライドはすべてアペンディックスへ

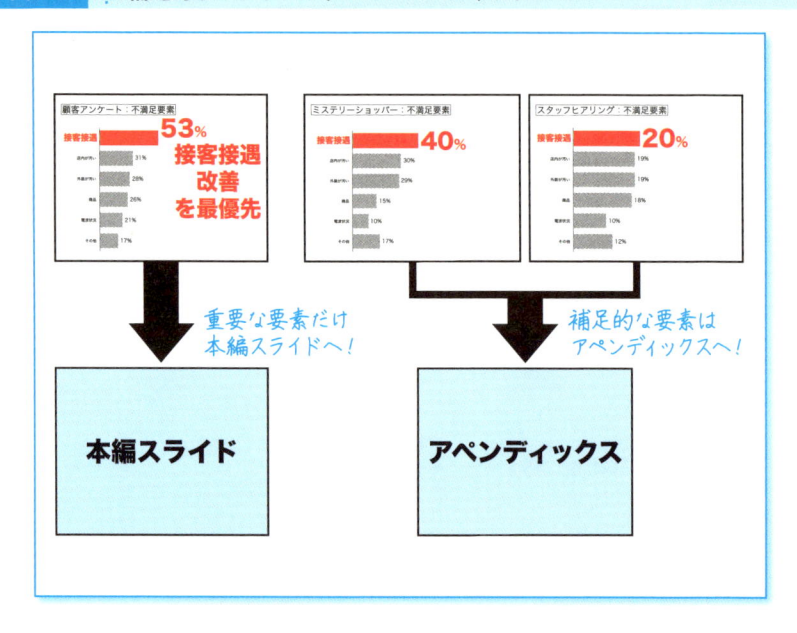

イドの構成をもう一度、ご覧ください。ここには「顧客アンケートの結果」しか示していません。なぜなら、決裁者が最も重視するのが「顧客の声」だからです。その意味で、それ以外の「ミステリーショッパーの調査結果」「スタッフのアンケート結果」などは補足的なデータですから、これらはすべてアペンディックスに格納します（図6-2）。

　こうして、最も重要なスライドだけを本編スライドに入れることで、はじめて「5〜9枚」のシンプルな資料が出来上がります。ですから、シンプルなプレゼン資料をつくるうえで重要なのは、「コトの軽重」を見極めることです。「提案内容を伝えるために最も重要な要素は何か？」「決裁者にとって最も説得力のあるデータは何か？」。そういった視点で企画の検討段階でかき集めた要素の「軽重」を見極める力こそが求められているのです。

Lesson 7 「2案」を提案して、採択率を上げる

選択肢があると、人は「選ぼう」とする

　採択率を上げる、とっておきの方法があります。
　2案を提案する方法です。課題解決のために考え尽くした人は、1つのアイデアにすべてを賭けたい気持ちになるものですが、あえて「A案」「B案」の2案を提示することを、私は強くおすすめします。
　なぜなら、人間というものは、選択肢が1つしかないと、「もっといいモノがあるかもしれない」と考える傾向があるからです（図7-1）。逆に、選択肢を示すと、そのなかから「よりよいモノを選ぼう」という思考が働きます。そ

図 7-1　選択肢があると、人は「選ぼう」とする

1案	A案／B案
決裁者：もっといいモノがあるのでは？	決裁者：どっちがいいかな？

2案を示したほうが「採択率」は上がる！

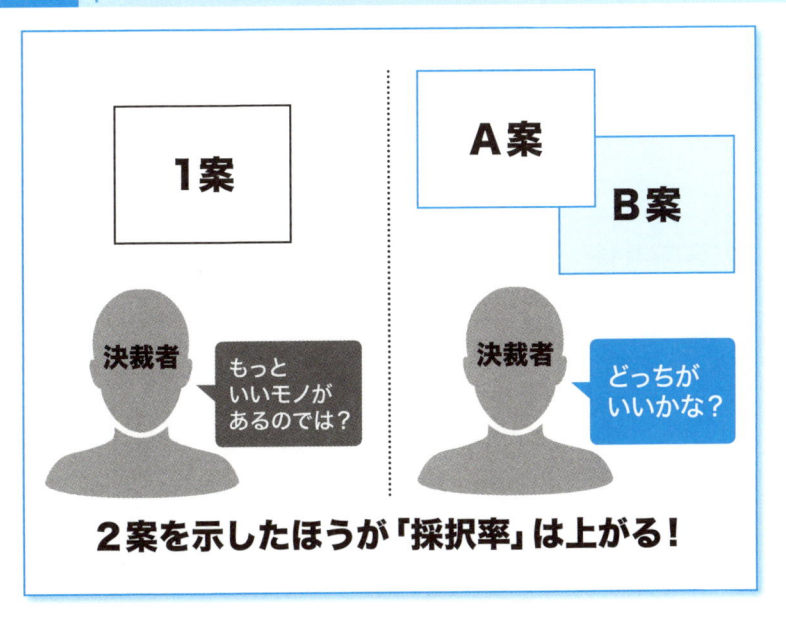

の結果、意思決定がポジティブな方向に働くことが多いのです。また、1案だけではなく2案示すことによって、徹底的に考え抜いた提案であることをアピールすることにもなります。

「メリット・デメリット」を1枚のスライドにまとめる

　Lesson 5の「接客接遇研修」を提案するケースであれば、A案として「店長研修の実施」を、B案として「店舗全員研修の実施」を提案することが考えられます。この2案を提示すれば、決裁者は「本当に接客接遇を優先すべきなのか？」という思考ではなく、「店長研修と全員研修のどっちがいいか？」という思考に向かいます。つまり、「接客接遇研修の実施」は既定路線となりやすいわけです。

　スライドは【図7-2】のようにつくります。

　まず、両案を併記したスライドを用意。そのうえで、それぞれのメリット・

図 7-2　2案を提示するスライド

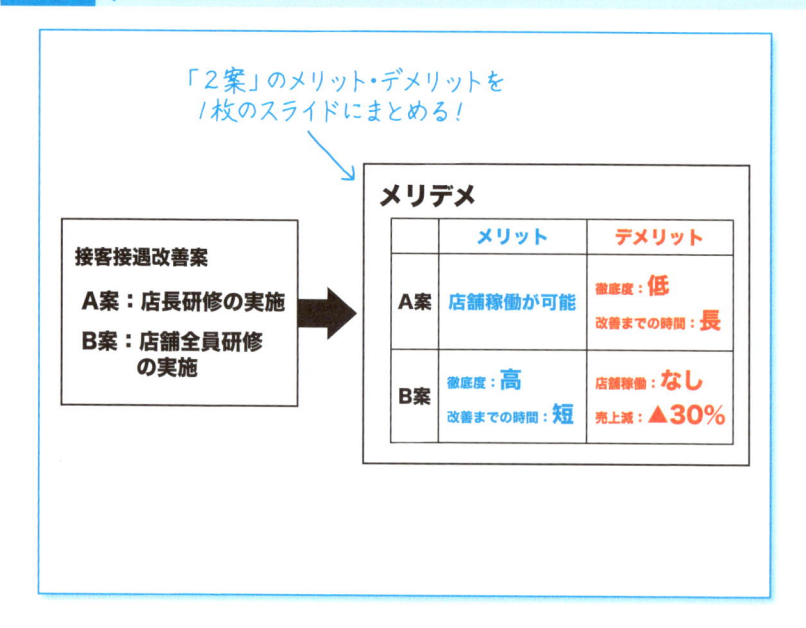

「2案」のメリット・デメリットを1枚のスライドにまとめる！

接客接遇改善案
　A案：店長研修の実施
　B案：店舗全員研修の実施

メリデメ

	メリット	デメリット
A案	店舗稼働が可能	徹底度：低 改善までの時間：長
B案	徹底度：高 改善までの時間：短	店舗稼働：なし 売上減：▲30%

デメリットをまとめたスライドをつくります。

「店長研修」よりも「店舗全員研修」のほうが徹底度は高いが、「店舗全員研修」を行うためには店舗を閉める必要があるため売上が減少します。そのメリット・デメリットを1枚のスライドにわかりやすくまとめると、決裁者は判断しやすくなります。

なお、提案内容がやや複雑な場合には、両案を併記したスライドの後に、A案B案それぞれについて概要を伝えるスライドを1枚ずつ挿入することもあります。【図7-2】のようにシンプルな提案の場合には不要だと思いますが、決裁者にとってわかりやすいと思えば、そのようなスライドを作成するといいでしょう。

どちらの案を推すのか明確にする

ただし、2案を提示する際に注意していただきたいことがあります。

まず第1に、方向性の異なる2案を提示してはなりません。

たとえば、顧客満足度を上げるために、「接客接遇研修」と「店舗のクリーンネス」の2案を提案するようなプレゼンはNGです。双方がまったく異なる方向性をもっているため、決裁者は「もっと、煮詰めた提案をもってくるべき」と判断。差し戻しになる可能性が高くなるでしょう。

ですから、2案を提案するときには、必ず、方向性は同じだけど細部に違いのある案を提示してください。新商品のテスト販売を行いたいという提案であれば、販売店舗数の「多い」「少ない」の2案を提示する。テスト販売期間の「長い」「短い」の2案を提示する。テスト販売を行うだけの案と、テスト販売にプラスして新しい販促活動も行う案の2案を提示する。このように、大筋は変わらない2案を提案するのがベストです。

そうしておけば、万一、2案とも否決され、再提案する必要が生じても、「テスト販売を行う」ことは承認されるケースが多いでしょう。これも、一歩前進。「陣地」を広げることができるのです。

第2に、2案のうち、どちらを推すのかを明確するようにしてください。

図 7-3　アニメーションを使ってわかりやすく

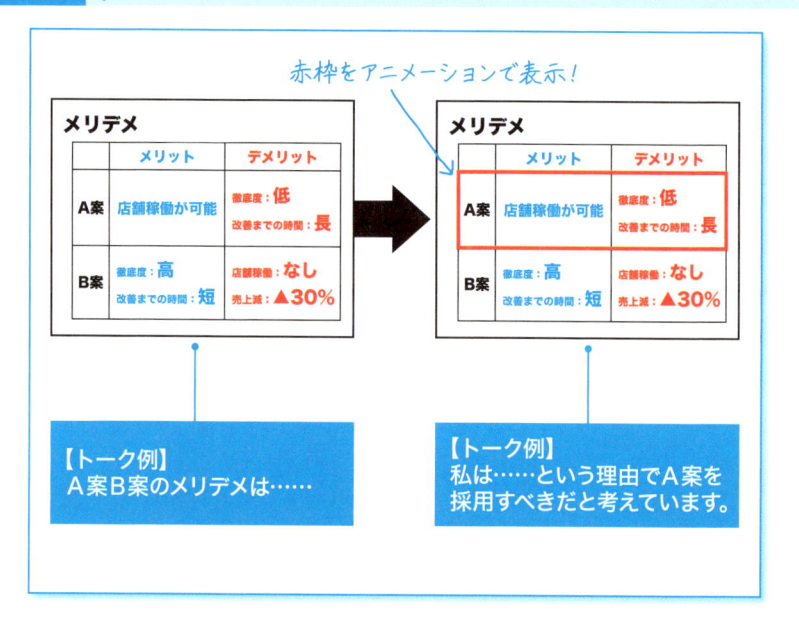

赤枠をアニメーションで表示！

メリデメ	メリット	デメリット
A案	店舗稼働が可能	徹底度：低 改善までの時間：長
B案	徹底度：高 改善までの時間：短	店舗稼働：なし 売上減：▲30%

→

メリデメ	メリット	デメリット
A案	**店舗稼働が可能**	**徹底度：低** **改善までの時間：長**
B案	徹底度：高 改善までの時間：短	店舗稼働：なし 売上減：▲30%

【トーク例】
A案B案のメリデメは……

【トーク例】
私は……という理由でA案を採用すべきだと考えています。

　なかには、「どちらでもいい」というスタンスでプレゼンする人もいますが、それでは、「どちらの案にも確信がもてずにいる」という印象を与えてしまいます。必ず、「私は、○○の理由によりA案を推します」などと明言するようにしてください。

　そのために、スライドでは【図7-3】のようなイラストレーションを活用すると効果的です。メリット・デメリットのスライドを表示しながら、双方の詳細を説明したうえで、アニメーションでA案の枠を赤で囲み、「私は、○○の理由によりA案を推します」と説明するといいでしょう。

Lesson 8 社内プレゼンで絶対に押さえるべき「3つのポイント」

◉「本当に利益を生み出すのか?」という財務的視点

　スライドのつくり込みに入る前に、必ず確認しておかなければならないことがあります。これを怠ってスライドをつくり込んでから、上司に資料の不備を指摘されれば、もう一度ゼロからやり直さなければなりません。あるいは、そのままプレゼンに臨めば、差し戻しの憂き目にあうでしょう。そうなれば、膨大な時間のムダを生み出します。

　そのような非効率を避けるためにも、これからご説明する3つのポイントについては、十分な材料が揃っているかを確認する習慣を身につけてください（図8-1）。

　まず第1に、提案する事業を実施することによって、「本当に利益を生み出すのか?」という財務的視点です。当たり前のことですが、企業はあくまで「営利事業体」。決裁者が、「儲からなさそうだけど、いいアイデアだ」という理由でGOサインを出すことはありません。

　ですから、どのような提案であっても、現状よりも収益アップやコストカットなど、何らかの財務的なデータが改善されることがゴールでなければならないのは当然のことです。

　その際に、必ず押さえなければならないのは、「コスト」と「売上・収益予測」の2つ。

　まず、コスト。事業を実施するうえで必要なコストを明確に示さなければなりません。おそらく、部署内で事業内容を検討する際にコスト計算は綿密に行っているはずですが、プレゼン資料をつくる際には、再度、その精度を確認することをおすすめします。

　できれば、あなたが試算したコストを、管理会計など社内専門部署に確認

図 8-1　絶対に押さえるべき3つのポイント

① 財務的視点	「本当に利益を生み出すのか?」
② 実現可能性	「本当に現場でうまく回せるのか?」
③ 経営理念との整合性	「会社の理念と合っているのか?」

してもらうといいでしょう。専門的な視点でチェックしてもらうことで精度が高まるのはもちろんですが、決裁者も専門部署の確認を経た数字であることに安心感をもつことも重要です。

コストについては、本編スライドでは「概要スライド」に数字だけ目立つように掲載するだけでOKですが、計算根拠の詳細についてはアペンディックスに格納しておかなければなりません。そして、決裁者から「コストの計算根拠は?」と質問されたときに、アペンディックスを示しながら説明するとともに、「管理部門にも確認していただいた数字です」と言い添えれば完璧でしょう。

次に売上・収益予測です。

提案事業を実施することによって、どれだけの売上・収益がもたらされるのか、つまり、「効果」を明示しなければなりません。もちろん、あくまでも「予測」ですから、100％の根拠を示すことは不可能です。しかし、この「効

果」に説得力があるかないかで、プレゼンが採択されるか否かが決まるといっても過言ではありませんから、知恵を絞らなければなりません。

通常の事業提案であれば、過去に類似の事業を行ったケースが多いはずです。その場合には、過去のデータを示すことで説得力を生むこともあります。自社他社、国内海外を問わず、類似の事業を探し出して、そのデータを根拠に使うことを第1に検討すべきでしょう。

もちろん、過去データがないケースもあります。その場合には、リサーチ（調査）を行い、そのデータを根拠に提案します。リサーチに予算がかけられない場合には、トライアル実施を提案することになります。効果検証のために十分なサンプル数を確保できるミニマム・トライアル（日数・地域・店舗を限定するなど）を提案することが適切でしょう。

もしも、「売上・収益予測」の根拠が"弱い"と思うならば、必ず、上司や関係部署に相談しながら改善するようにしてください。

「現場でうまく回るのか？」という実現可能性

第2のチェックポイントは実現可能性です。

どんなにデータ上は効果が見込めるアイデアでも、現場でうまく回せないような提案では意味がありません。

たとえば、小売店舗で大安売りをすれば、確実に集客を増やすことはできるでしょう。しかし、現場のオペレーションに無理があれば、必ず破綻します。その結果、予測していた集客増は"画に描いた餅"となるだけではなく、顧客に迷惑をかけたり、現場のモチベーションが下がるなど、会社に大きな損害を与えかねません。

このような事態は、いくらでも起こりえます。画期的な販促計画を立てても、営業現場で対応不能かもしれません。あるいは、商品のデザイン変更をしようとしても、工場のラインの組み換えが必要なため実現できないというケースもありえます。

そのため、決裁者は、一見魅力的な提案であっても、「本当に実現できるのか？」「現場でうまく回るのか？」という不安を常に抱えています。そこで、

その不安を解消するだけの材料が揃っているかを、改めてチェックしたほうがいいのです。

やるべきことはただひとつ。提案する事業に関連する部署にしっかりと説明するとともに、実現可能性や注意すべきポイントをヒアリングすることです。そして、プレゼンの場で「現場の確認は取れています」などと一言添えれば、決裁者は安心してGOサインを出してくれるはずです。

「経営理念」に合致した提案であるか？

第3のチェックポイントは、経営理念との整合性です。

どんなに売上・収益が向上し、実現可能性があっても、それだけでは足りません。経営理念や社是に示されている方向性に合致しない提案が認められることはありません。

一般社員は普段あまり意識することがないかもしれませんが、経営者が意思決定する際に、最終的なよりどころとするのが経営理念です。ソフトバンクの場合には、「情報革命で人々を幸せに」が経営理念ですから、「儲かるけれど人々を不幸にする」ような提案は決して通ることはないでしょう。そのような提案を、孫正義会長が認めるはずがないからです。

もちろん、一社員がプレゼン資料に経営理念を持ち出したり、プレゼンの場で、「経営理念にあるように……」と口頭で説明したりするのは白々しいだけですから、そのような必要はありません。

しかし、プレゼン資料をつくり込む前に、もう一度、「これから仕上げようとしているプレゼンは、本当に経営理念に添ったものだろうか？」と自問するのは重要なステップです。そして、「間違いなく、経営理念の実現に資する提案だ」と腹の底から納得して資料づくりに取り組むことで、必ず格段に説得力が増すと、私は確信しています。

Lesson 9 いきなりスライドをつくり始めない

まずは「一人ブレスト」でスライド・イメージを磨く

　プレゼン資料の作成を始めるとき、いきなりPowerpointやKeynoteなどのプレゼンソフトを立ち上げてはいけません。まずは、紙とペンを用意して、これまで企画・事業内容を検討する過程で集まったデータを書き出すことで、頭の中を整理するようにしてください。いわば「一人ブレスト」をするわけです。闇雲につくり始めるより、よほど効率的に適切な資料をつくり上げることができるでしょう。

　【図9-1】のようなフォーマットに、書き込んでいくと便利です。

図9-1　手書きフォーマット

	結論	根拠(データ)	ビジュアル
課題			
原因			
解決策			
効果			

「課題」「原因」「解決策」「効果」のストーリーに沿って、「結論」と「根拠（データ）」「ビジュアル（スライドに掲載する写真など）」を書き出していきます（図9-2）。

まずチェックすべきなのは、「課題」「原因」「解決策」「効果」に書いた内容が、「なぜ？」「だから、どうする？」「すると、どうなる？」という因果関係でつながっているかどうか。企画・事業の検討段階で何度も確認したはずですが、この段階で「どうも、おかしい」「何か足りない」ということに気づくこともありますので、必ず、再度じっくり確認するようにしてください。

そして、それぞれの「根拠」を書き出していきます。1つの「結論」に対して複数の「根拠」があることもありますが、それもすべて書き出します。なぜなら、根拠を一覧することで、「どれが重要な根拠で、どれが補足的な根拠なのか」、すなわち「コトの軽重」がだんだんと見えてくるからです。

「コトの軽重」が見えてきたら、不要な要素を二重線で消したり、本編スライドに入れる要素に「○」、アペンディックスに入れる要素に「△」をつけるなどするといいでしょう。この作業をするなかで、これからつくるべきスライドのイメージが明確になってくるはずです。

また、この段階で、スライドに使うビジュアルなどの要素も、思いつくままに書き出しておくと便利です。このあと、実際のスライドをつくるときに、メモに書き出したものを見ながら手際よく必要なビジュアルを集めることができるからです。

関係部署のスタッフとブレストをする

「一人ブレスト」でプレゼン資料のイメージが見えてきたら、上司や先輩に見せて意見をもらうのはもちろん、できれば、関係部署のスタッフを集めてブレストをする機会を設けると万全です。

関係部署のスタッフとのブレストには、2つの意味があります。

まず第1に、他部署の視点でチェックしてもらうことで、「抜け漏れ」がなくなるとともに、思いもよらないアイデアを提供してくれたり、「このデータより適切なデータがある」などとアドバイスをしてもらえることがあります。

第2に、これによって関係部署のコンセンサスを得ることができるという意味があります。これは、重要なポイントです。いくら企画・事業の検討段階で相談をしていても、いざプレゼンという段階で彼らの最終確認を取っておかないと、思わぬ"ちゃぶ台返し"を食らう可能性があるからです。丁寧にコンセンサスを取っておくことが、採択率を高めることにつながるのです。

　それだけではありません。この段階で確認を取っておくことは、「実際に採択されたら、あなたの部署を巻き込むことになります。そのときはよろしくお願いしますね」という宣言にもなります。関係部署とのブレストによって、実施段階の協力度合いにも大きな差が生まれることがあるのです。

　なお、ブレストの人数もマジックナンバー「7±2人」を意識してください。この人数を超えると議論がうまく回りませんから、その範囲内で関係者を集めます。そして、30分なら30分と時間を区切ることで、参加者の時間的な負担を減らすとともに、集中したブレストを心掛けるといいでしょう。

図9-2　必要な要素の取捨選択を行う

	結論	根拠（データ）	ビジュアル
課題	店舗の来客数減少	来客数推移のデータ（過去6か月分）	店舗写真
原因	顧客満足度の低下	顧客満足度調査（過去6か月分）	~~スタッフ写真？~~
解決策	接客接遇研修　○店長研修？　×全員研修？	○顧客アンケート　△ミステリーショッパー報告　△スタッフとヒアリング　×SNSで拾った顧客の声	
効果	顧客満足度90％	他社の研修導入実績	~~顧客の笑顔写真？~~

もちろん、多忙な関係者を一堂に集めるのが難しいときもあります。そのときは、ひとりずつ回って確認をとっていくようにしてください。メールで確認することも可能ですが、できるだけ面と向き合ってコミュニケーションをとるほうが効果的だからです。

　このステップを経たうえで、はじめてプレゼンソフトを立ち上げます。
　私は、まず、手書きメモにある要素をすべてスライド化するようにしていました。この段階では、盛り込むべきテキストとグラフ（加工前の元データ）を貼り付けただけのスライドで十分です。その状態で、本編スライドをストーリーに沿って並べるとともに、本編に入らないスライドをアペンディックスとしてストックしていきます。
　そして、ある程度のカタチになってから、本編スライドを１枚１枚、パッと見た瞬間に理解できるシンプルなスライドに加工してくのです。そのノウハウについて、第２章からご説明してまいります。

第2章

プレゼン資料を「読ませて」はならない

Lesson 10 表紙には、「会議名」と「日付」を明記する

◆ スライドサイズは「企業文化」に合わせて選択する

　社内プレゼンの資料において大切なのは、見た目の美しさではありません。何よりも優先すべきなのは、わかりやすさ。パッと見た瞬間に、そのスライドが何を意味しているのかを把握できるものが、優れたプレゼン資料。そのために、押さえておくべきことを、これからお伝えしてまいります。

　まず、スライドのサイズ。「4：3」と「16：9」のものが主流ですが、社内プレゼンにおいては、基本的には「4：3」のほうが適していると考えて

図 10-1　スライドサイズは企業文化に合わせる

◎ 4：3　← 社内プレゼンでは「4：3」のサイズを選択する！

○ 16：9

います。というのは、「4：3」のほうが、ペーパーにプリントアウトしたときに読みやすい資料になるからです。

　ただ、最近は、プレゼン資料をプリントアウトするのではなく、モニターに映し出す企業も増えてきました。その場合には、「4：3」よりも臨場感のある「16：9」を使うほうがよいでしょう。このように、企業文化に合わせて、最適なスライドのサイズを選択するといいでしょう。

タイトルは「13文字」以内で簡潔に

　スライドには必ず表紙をつけるようにしてください。

　タイトルをスライドのど真ん中に大きく表示します。表紙が映し出された瞬間にテーマがわかれば、決裁者も話を聞くモードに入りやすくなります。

　タイトルは一目で理解できるように、できるだけ短くつけるのがコツです。Lesson 12で詳しくご説明しますが、タイトルやキーメッセージは「13文字」以内が原則。「店舗来客数を増加させる方策のご提案」などと文章で書くのではなく、「店舗集客の改善提案」などと簡潔にまとめるのです。

　また、「店長研修実施の提案」などと「提案内容」をタイトルにもってくるのではなく、「店舗集客の改善提案」のように、解決すべき「課題」をタイトルにするのがよいでしょう。タイトルで、いきなり「店長研修実施」という解決策を提示しても、決裁者は「何のためのプレゼンだろう？」と不可解に思うからです。タイトルでプレゼンの「目的」を示す、と考えればいいでしょう。

　また、表紙で忘れてはならないのが「会議名」と「日付」を明記することです（図10-2）。タイトルの左上に会議名、真下に発表日の日付を入れてください。これは、思いもよらない「事故」を防止するためにも必須のポイントです。というのは、社内プレゼンは決裁が通るたびに、部門会議、局会議、取締役会議など、発表の舞台が複数に及ぶことが多いからです。その度に、修正指示が入ったり、ブラッシュアップするために、資料に手を入れていかなければなりません。つまり、いくつものバージョンが生まれるのです。

　そのため、必ず会議名や日付を入れておかないと、プレゼン本番でうっか

図 10-2 タイトルページには「会議名」と「日付」を明記する

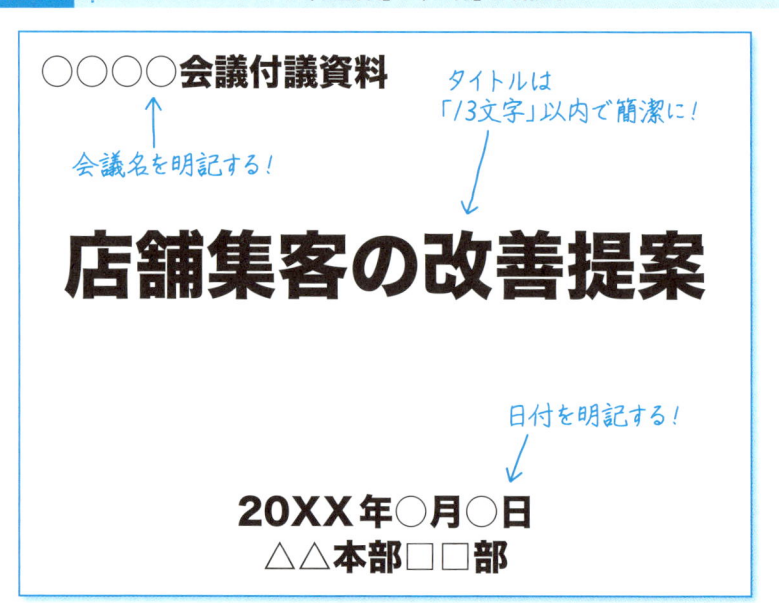

```
○○○○会議付議資料
    ↑              タイトルは
 会議名を明記する！    「13文字」以内で簡潔に！
                        ↓

     店舗集客の改善提案

                       日付を明記する！
                            ↓
        20XX年○月○日
        △△本部□□部
```

りバージョンが1つ前のプレゼン資料を開いてしまったり、どのファイルが最新のバージョンなのかがわからなくなってしまうことがあるのです。そのような事故を防ぐためにも、必ず「会議名」と「日付」を記入するクセをつけてください。

ページ番号は「スライド右下」に入れる

　ページ番号は地味な存在ですが、スムースなプレゼンをするうえで欠かせない重要な役割を担っています。ですから、スライドを立ち上げたら、まず設定する習慣をつけましょう。
　ページ番号の役割とは何でしょうか？
　正確で的確なコミュニケーションをするためのツールです。たとえば、プレゼン中に、決裁者がもう一度確認したいスライドがあったとします。ページ番号が振ってあれば、「3ページに戻って」と指示できますが、ページ番号

図 10-3 ページ番号はスライドの右下に置く

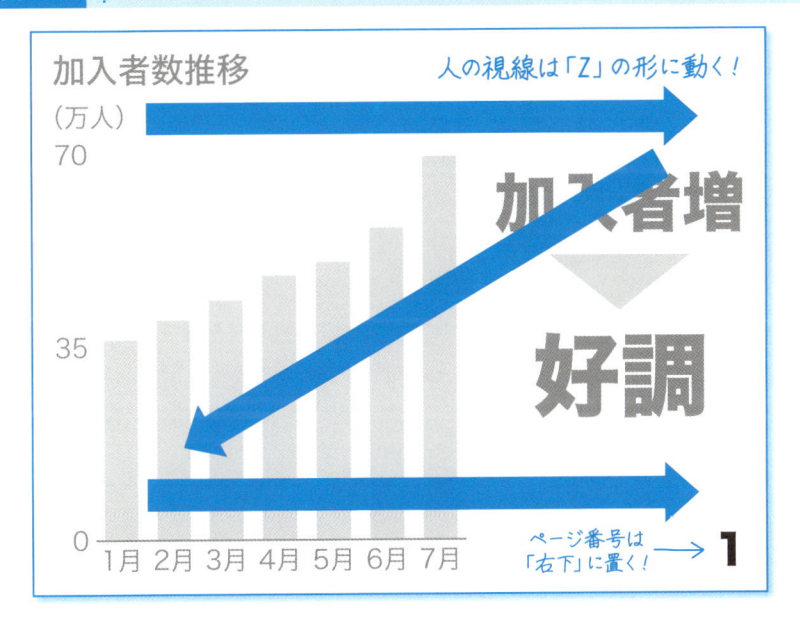

がなければ、「いや、そのスライドじゃなくて、さっき見た競合他社の売上推移のグラフに戻って」などという指示になってしまいます。ストレスフルなコミュニケーションになってしまうのです。

これは、プレゼン中だけの問題ではありません。たとえば、ドラフトとしてつくったスライドを上司にチェックしてもらうとします。このときに、ページ番号を振っていないと、上司が修正箇所を指定するのが大きな手間になってしまいます。ミスも起こりやすいでしょう。メールで資料修正のやり取りをすることが多ければなおさらです。だから、必ずページ番号を振ることを忘れないようにしてください。

ページ番号を挿入する場所はスライドの右下です（図10-3）。

人の目の動きには「Zの法則」があります。何かを目にしたとき、その全体を把握するために、人の目はZの形で動くという法則です。ウェブページでも、書店の棚でも、無意識に左上から右に、そして左下から右へと目線を

動かしているのです。つまり、スライドの右下のスペースは、目線が最後に行きつく場所なので、そこにページ番号があっても、決裁者がスライドの全体を把握する邪魔にならないというわけです。

　ページ番号を中央下に置く人もいますが、私はおすすめしません。そこに置いてしまうと、グラフやメッセージ、ビジュアルなどを配置するうえで制約となってしまうことがあるからです。限られたスペースをできるだけ有効に使うためにも、ページ番号は右下に置くのがベストなのです。

　なお、なかには「1／30」（全30ページのうちの1ページ目）とページ番号を打つ人もいますが、私は、その必要はないと考えています。たしかに、何十ページも資料があるときには、そのようにページ番号を振る意味もあるでしょうが、5〜9枚の社内プレゼン資料には不要だからです。むしろ、少しでもスライド上の情報量を減らすためにも、単に「1」「2」とページ番号を表示するのが望ましいと思います。

Lesson 11 キーメッセージは、スライド中央より「やや上」に置く

キーメッセージのフォントは1つだけ

キーメッセージは、そのスライドでいちばん伝えたいことです。

1枚のスライドにおいて、最も決裁者の目に訴えたい部分であり、意思決定の決め手になる重要な情報です。だから、キーメッセージに使用するフォントは「目に入りやすく」「誰でも読める」ものでなければなりません。

この条件を満たすフォントは、ずばりこの2つです。

〈キーメッセージに最適のフォント〉
● **Powerpoint：HGP創英角ゴシックUB**
● **Keynote：ヒラギノ角ゴ StdN**

この2つが、誰にとってもいちばん読みやすく、インパクトのあるフォントだからです。

なぜ、ゴシックがいいか？　明朝体を老眼の人や目の悪い人が見ると、線が消えて見えることがあるからです。明朝体のほうが知的に感じられるかもしれませんが、見えなければどんな知的なフォントを使っても意味がありません。キーメッセージに限らず、社内プレゼンでは明朝体は使わず、ゴシックを使うのを基本にしてください。

ゴシックにも「HGS創英角ゴシック」や「HG創英角ゴシック」などいろいろな種類がありますが、そのなかでもキーメッセージに最も適しているのが「HGP創英角ゴシックUB」です。私は、あらゆるフォントでプレゼン資料をつくってスクリーンに投影してきましたが、このフォントは行間も文字間隔も詰まり過ぎず空き過ぎず、キーメッセージとして使用するにはちょうどいいバランスなのです。

また、最近ではPowerpointとKeynoteを併用する企業も増えてきていますので、その場合には、双方のソフトで互換性がある「メイリオ」をキーメッセージに使うのもお薦めです。
　なお、キーメッセージ以外のテキストで使うフォントは、この2つです。

〈キーメッセージ以外に最適のフォント〉
●Powerpoint：MSPゴシック
●Keynote：ヒラギノ角ゴProN

　この2つが、「グラフのタイトル」「グラフの数字」「概要やスケジュール」などのテキストで使うには最適のフォントです。キーメッセージとの差異が明確で、かつ読みやすいからです。
　プレゼン資料をつくる度に、「どのフォントにしようか？」と迷っているのは時間のムダ。あらかじめ使用フォントを決めておけば、それだけで効率化につながります。社内プレゼンでは、趣味嗜好にかかわる部分は捨て去って、余計なことに神経を使わないのが得策。迷わず、ご紹介したフォントに決めて、資料づくりをスピードアップさせてください。

キーメッセージのフォントサイズは50〜200

　キーメッセージのフォントサイズは、「50〜200」にしてください。50以下だと小さすぎてインパクトに欠け、200を超えると「やり過ぎ」になります。必ず、この範囲で設定するようにしてください。
　そして、この範囲でできるだけ大きくするのが鉄則です。
　【図11-1】のスライドをご覧ください。サイズ100とサイズ200（スライドに対する比率）を表示したものです。100でも十分大きいですが、200にすると格段にインパクトが増すのが一目でわかるはずです。決裁者の意識に強く訴えるには、キーメッセージをできるだけ大きくすることが大切なのです。
　とはいえ、200のフォントで文章を記すのは難しいので、文字だけの場合

図 11-1　▶ キーメッセージのフォントサイズは100〜200

> キーメッセージはこの範囲で最大のフォントを使用する！

100 〜 200

は50〜100までを目安に、数字はできるだけ200の極大フォントを使うことを心がけるといいでしょう。パソコン上でスライドをつくっているときに、フォントサイズを200にすると「ちょっとやりすぎかな……」と思うかもしれませんが、決裁者はパソコン画面で見るわけではありません。スクリーンに映し出されたときには、200でもまったく違和感はありませんので、安心して使ってOKです。

なお、どうしても50以下にしなければ、テキストが入りきらない場合には、文字数を減らすことを検討してください。文字数を減らせない場合にも、グラフなどテキスト以外の要素を小さくするなど、なんとかスペースをつくって、50以上のサイズにできるように工夫しましょう。

◉ キーメッセージはブロック単位で「やや上」に置く

キーメッセージを配置する位置にも法則があります。

図 11-2 ▶ キーメッセージは中央より「やや上」に置く

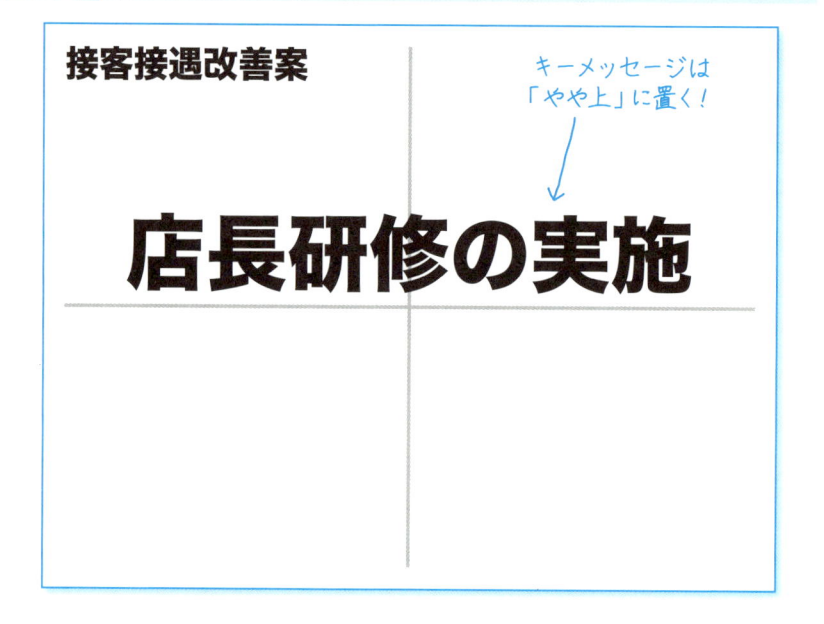

```
接客接遇改善案                    キーメッセージは
                                「やや上」に置く！

        店長研修の実施
```

　必ず、スライド中央より「やや上」に配置するのです（図11-2）。
　なぜなら、決裁者は、スライドを写すスクリーンを、座った状態で見上げるからです。その角度でスライドを見ると、キーメッセージが中央かそれより下に配置されていると、とても窮屈な印象を受けるのです。そのメッセージがスムースに心の中に入ってこないわけです。
　古い日本家屋やお寺の壁上部に、横書きの「書」（扁額）が掲げてあるのをよく見かけます。あれを見ると、すべて中央より少し上に文字が書かれていることに気づきます。下から見上げることを想定して、そうしてあるわけです。中央より「やや上」に置くのは、古来からの知恵なのです。

　なお、【図11-3】のようにキーメッセージを表示するケースも多くあります。Lesson 16で詳しくご説明しますが、「来客数減少のため対策を要する」と1つの文章でキーメッセージを表示するよりも、「来客数減少」▶「要対策」と2つのワードに分けたほうが、言葉も少なくできるため、決裁者が一瞬で理

図 11-3　ブロック単位で「やや上」に置く

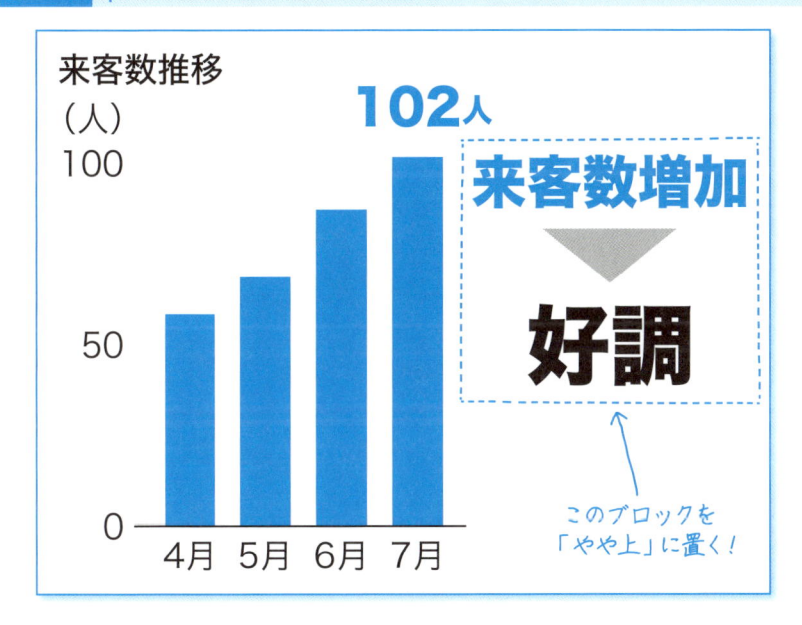

```
来客数推移
(人)
100                    102人
                    来客数増加
                        ▼
 50                    好調

                    このブロックを
                    「やや上」に置く！
  0
     4月 5月 6月 7月
```

解しやすくなるためです。また、フォントを大きくすることができるため、いちばん伝えたいキーメッセージを、インパクトをもって伝えられる効果もあります。

　そして、このような場合には、ブロック単位で「やや上」にキーメッセージを置くように工夫してください。キーメッセージはグラフとともに表示されるケースが多いのですが、最も重要なのはキーメッセージです。キーメッセージのスペースを十分にとり、かつ「やや上」に置くために、グラフのスペースを調整するという意識でスライドづくりに取り組んでいただきたいと思います。

Lesson 12 キーメッセージは、「13文字」以内にまとめる

キーメッセージを読ませてはいけない

　プレゼンのスライドにおいて、表紙のタイトルやキーメッセージは「読ませるもの」ではなく「見せるもの」です。
　1字1字読んで、ようやく意味がわかるのではダメ。パッと見た瞬間に、意味がスッと頭に入ってくるようにしなければなりません。決裁者の脳を「意味」を読み取ることに使わせるのではなく、提案内容を吟味することに使ってもらわなければならないのです。

　そのためには、どうすればよいか？
　方法はただひとつ。文字数を減らすことです。
　人間が一度に知覚できる文字数は、少ない人で9文字、多い人で13文字だと言われています。瞬間的に文字と意味を同時に把握することができる文字数は13文字が上限。これ超えると、意味をつかみ取るのに「読む努力」が必要になるのです。日本最大のニュースサイト「Yahoo!」のニューストピックの見出しも13文字が上限になっているのも、おそらく、これと同じ理由だと思います。
　だから、タイトルやキーメッセージは必ず13文字以内に収めるようにしてください。「文章」をつくる感覚ではなく、「Yahoo!」のニューストピックの見出しをつくることをイメージするといいでしょう。

　とはいえ、13文字以内という制限は、実際に書いてみるとなかなかハードルが高いものです。慣れないうちは、ついつい「文章」を書いてしまう。そこで、キーメッセージを13文字以内にするコツをいくつかご紹介したいと思います。

最重要ポイント以外はすべてカットする

　キーメッセージを13文字以内にするためには、要するに、伝えるべき最重要ポイント以外の要素をすべてカットしていけばいいのです。
　まず、カットしていただきたいのが平仮名です。
「〜のための」「〜による」「〜について」といった平仮名は不要です。また、「〜を」などの助詞も省けるものが多いので、日本語としておかしくなければできるだけ取るようにしてください。

〈例文 ①〉
【before】売上未達を改善するための戦略提案について（20字）
【after】　売上未達改善の戦略提案（11字）

　平仮名を減らしても意味は通じることがご理解いただけると思います。そして、それだけで文字数をかなり減らすことができるのです。

　また、伝えるべきポイントを明確にして、付随的な要素はすべてカットするようにしてください。

〈例文 ②〉
【before】今月も加入者は約4000件の増加が見込まれる（22字）
【after】　加入者4000件増（9字）

　この例文の第1の問題は、主語述語のある文章になっていることです。キーメッセージは、このような文章にする必要はありません。いたずらに文字数が増えるだけですし、そもそも、文章にしてしまうと読む必要が生じます。決裁者に「読ませない」ためにも、文章にしないことを意識してください。
　そして、「今月も」「見込まれる」など付随的な要素はカットします。それは、口頭で伝えれば済むこと。キーメッセージは、決裁者にインプットしたいポイントだけに絞ればいいのです。

さらに、「約4000件」の「約」も基本的に不要です。これも口頭で「正確には3983件です」などと補足すれば済むことです。あるいは、決裁者から正確な数字を求められたときのために、詳細の数字を記したアペンディックスを用意しておけば十分です。どうしても気になる場合には、フォントサイズ50程度で小さく「約」「およそ」と加えるといいでしょう。

　ただし、数字そのものは必ず残すようにしてください。数字は一目で理解できますし、何よりインパクトと説得力があります。パワースライドをつくるためには数字がきわめて重要です。ですから、伝えたい数字は必ずキーメッセージに残しておくようにしましょう。

　最後に、13文字以内にする"裏技"をご紹介します。
　スマホや携帯電話でキーメッセージをつくるのです。
　パソコンはキーボードがあるので、いくらでも文字を打ち込むことができます。だから、ついつい文章が長くなってしまいがち。ところが、スマホや携帯電話で文字入力するのは面倒くさいですから、自然と文章を短くするようになります。「入力しづらい」という制約を、逆に利用するわけです。これは、意外と有効ですから、ぜひ、一度試してみてください。きっと13文字以内でキーメッセージをつくるコツがつかめるはずです。

Lesson 13　ポジティブ・メッセージは「青」、ネガティブ・メッセージは「赤」

1枚のスライドで3色まで

プレゼン資料において、カラーをいかに使うかは大切なポイントです。

まず第1のポイントは、カラーを使うことによって、重要なメッセージを目立たせることができることです。【図13-1】のように黒一色のキーメッセージをカラーにするだけで、「何を伝えたいのか」がわかりやすくなります。カラーを使うことによって、決裁者の注意を喚起することができるわけです。

この効果を最大化するためには、できるだけ色数を絞ることが重要です。色数が多いと、逆に「何を伝えたいのか」がわかりにくくなってしまうからで

図 13-1　カラーを活用してわかりやすいスライドにする

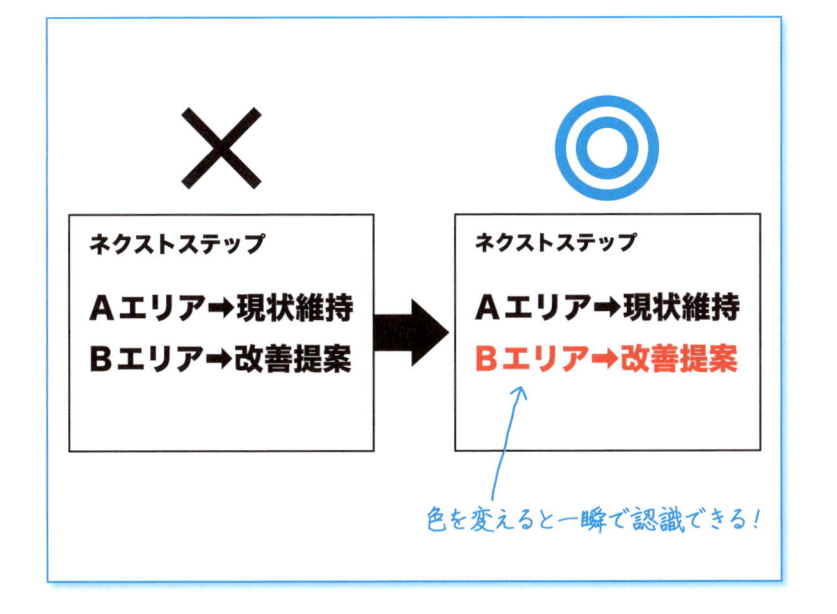

×
ネクストステップ
Aエリア➡現状維持
Bエリア➡改善提案

◎
ネクストステップ
Aエリア➡現状維持
Bエリア➡改善提案

色を変えると一瞬で認識できる！

す。資料をカラフルにすることに意味があるのではなく、伝えたいメッセージを強調することに意味があるのです。

　ですから、カラーの色数は絞って、「ここがポイント！」という部分だけをカラーにするのが基本です。もちろん、色数を増やさざるをえないスライドもありますが、そのような場合でも、できるだけ3色を上限にするようにしてください。

　なお、ペーパー・ベースのプレゼンしか認められず、しかも、カラー印刷が許されない会社もあるかもしれません。その場合には、強調したい部分のフォントサイズを大きくしたり、太くするなど工夫するといいでしょう。

「青」と「赤」を使い分ける

　カラーを使うことには、もうひとつ意味があります。
「売上増」「経費削減」などポジティブなメッセージは「青」、「売上減」「経費増」などネガティブなメッセージは「赤」に統一することで、わかりやすいプレゼンにすることができるのです（図13-2）。

　なぜなら、スライドを見た瞬間に、決裁者に「いい情報なのか？」「悪い情報なのか？」を知らせることができるからです。要するに、「話がはやい」のです。

〈カラーの法則〉
●**ポジティブ・メッセージは「青」**
●**ネガティブ・メッセージは「赤」**

　これは、国際的に通用するルールです。世界中の信号が「青＝進め」「赤＝止まれ」で統一されているように、「青」は「良好、順調、安全」のシグナルであり、「赤」は「不良、不安、危険」のシグナルとして使われているのです。
　ですから、できれば社内や部署内でこのルールに統一するのが望ましいのですが、そうでなかったとしても、「青」と「赤」を使い分ける習慣を身につけておくことをおすすめいたします。

図 13-2　ポジティブ・メッセージは「青」、ネガティブ・メッセージは「赤」

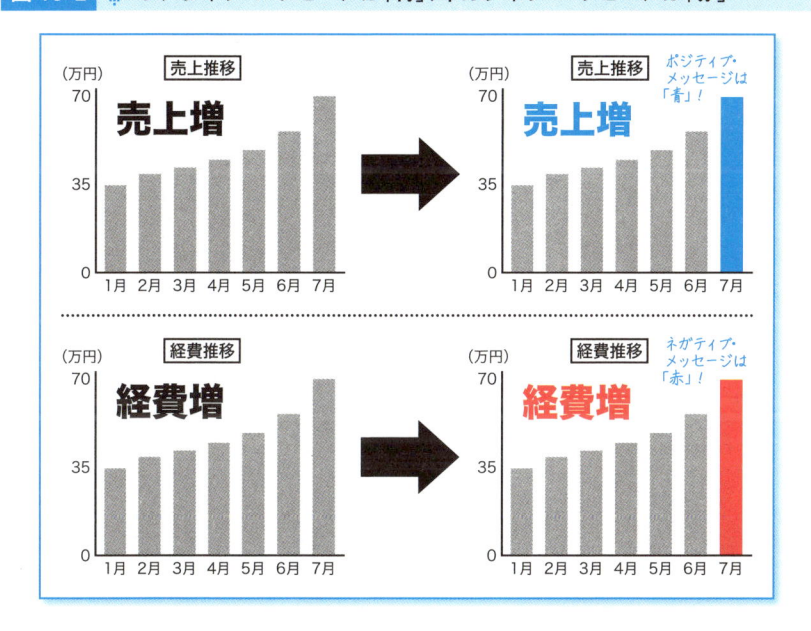

一点、補足しておきたいことがあります。

「コスト」や「目標数値」など、決してネガティブな意味ではなくても、会社にとって、あるいは意思決定において重要な部分は「赤」を使うようにしてください（Lesson 14の図14-1参照）。これは、「見逃さないでください」と強調するためのカラーリングですが、アラート効果を出すために「赤」を使用するのが適切なのです。

事業フローはグラデーションで示す

カラーを使ったグラデーションも、非常に効果的です。

たとえば、提案する事業のフローを示すときには、【図13-3】のように第1ステップから順に「青」を濃くするグラデーションを展開することで、事業遂行とともに「望ましい状態」に近づくことを印象付けることができるでしょう。

図 13-3　青のグラデーション

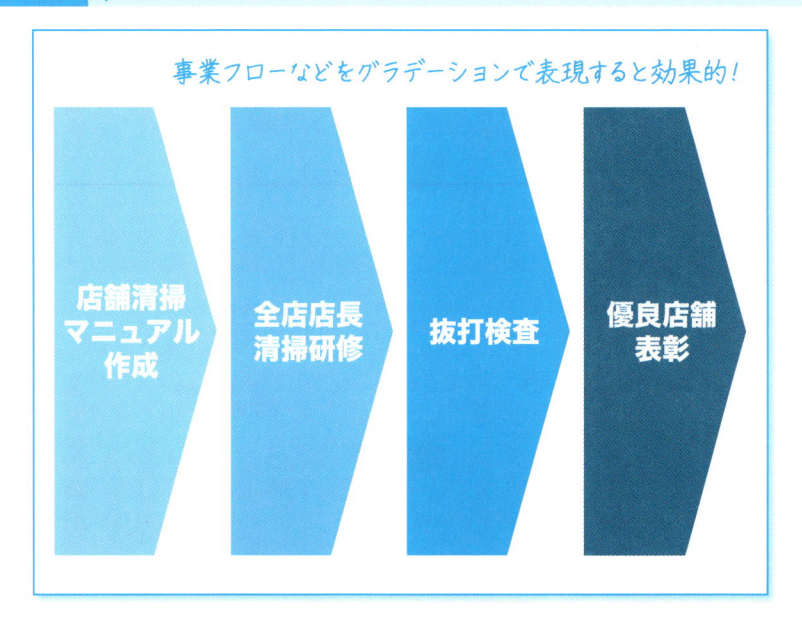

事業フローなどをグラデーションで表現すると効果的！

店舗清掃マニュアル作成 → 全店店長清掃研修 → 抜打検査 → 優良店舗表彰

　あるいは、業績悪化の原因究明などを「赤」のグラデーションで示すこともあります。

　このように、カラーをうまく使いこなせば、決裁者にとってわかりやすいスライドになるでしょう。

Lesson 14 「定型フォーマット」を用意しておく

スライドの「定型化」で資料づくりを効率化する

　社内プレゼン資料には、一定の形式があります。
　表紙はもちろんですが、その他にも、提案内容の概要やスケジュールを示すスライドは必須です。そこで、これらのスライドは定型化しておくことによって、資料作成を効率化することができるのはもちろん、うっかり必要な情報を書き忘れる「抜け漏れ」をなくす効果もあります。
　【図14-1】は、私が使っている「概要スライド」です。
　「目的」「スケジュール」「対象物」などの項目は、会社や部署ごとに異なる

図 14-1　統一フォーマット例：概要

目的	売上増加に向けた商品値引
スケジュール	**2015年○月○日〜○月○日**
対象物	昨年発売の売れ残り商品
対象店舗	○○店
セグメント	スペックよりも価格重視のユーザー
シミュレーション検証	販売数 **10台/日** ← 目標数字は「赤字」にする！
コスト	**100万円** ← コストは「赤字」にする！

はずですので、それは適宜変更していただければ結構です。

　この概要スライドの各項目に書き込むテキストは、どうしても長くなりがちです。そのため、強調すべき部分は随時工夫を加えていきます。たとえば、文章が長いときには、強調したい部分をMSPゴシックからHGP創英角ゴシックに変えたり、より太いフォントに変えるといいでしょう。また、「コストの金額」や「目標数値」は「赤」を使うことで、文章すべてを読まなくても決裁者の目に飛び込んでくるようにしてください。

スケジュールはビジュアルで見せる

「スケジュール・スライド」は【図14-2】を定型化します。「施策概要確定」→「施策実施」→「効果検証」の3ステップでスケジュールをビジュアル化しています。1枚のスライドで3色を上限とするのが基本ですが、ここでは「確定」「準備」「実施」「検証」を明示するために4色を使っています。

図 14-2　統一フォーマット例：スケジュール

アクション	時期	本日	2日	3日	4日	5日	6日	7日	2週目	3週目
施策概要確定	○月×日	確定								
施策実施	△月×日〜△月□日		準備	準備	準備	準備	準備	準備	実施	
効果検証	△月◎日									検証

このスケジュール・スライドを社内や部署内で統一化しておくと、非常に便利。なぜなら、他の事業提案のスケジュール・スライドと並べるだけで、事業期間のダブりなどが一目でわかるからです。お互いの事業の繁忙期（はんぼうき）をズラすなどの調整が容易にできるわけです。

◉ プレゼン資料は、社内・部署内で統一する

　社内・部署内で統一フォーマット化する——。
　これは、「概要」「スケジュール」などの定型的なスライドのみならず、プレゼン資料全体に求められることです。本書でお伝えしている資料づくりの「型」を、社内・部署内で共有することで、組織全体の意思決定スピードが驚くほど加速していくのです。
　プレゼンのたびに資料が何十枚と出てきたり、カラーの使い方がまちまちだったりすると、決裁者もその都度意識を変えなければならず非効率です。ところが、全員が同じ「型」を共有することで決裁者の「スライド把握力」が高まり、誰がどんな提案をしてきても「どこに何が書いてあるか？」「何が言いたいか？」が一目でわかります。その結果、意思決定スピードも劇的に速くなるのです。
　ですから、あなたに部下がいる場合には、ぜひチームでこの「型」に統一することをおすすめします。きっと、あなたのチームの生産性が上がることを実感できるはずです。そして、その成果を背景に、上層部に全社的な統一を提案すれば、それを実現できる可能性もあるはずです。もしも、それが実現できれば、会社全体の事業スピードもどんどん加速していくに違いありません。ぜひ、チャレンジしていただきたいと願っています。

第3章

グラフは「一瞬」で理解できるように加工する

Lesson 15 「ワンスライド＝ワングラフ」の鉄則

考えさせないグラフが「優れたグラフ」

　説得力のある社内プレゼンを行うために、最も重要なのは「データ（数字）」です。あなたの主張の根拠となるデータを、いかに決裁者の頭に刻みつけるか。これができるかどうかで、採択率は大きく変わってくるのです。
　そして、データを見せるツールがグラフです。だから、グラフをどう見せるのかは、社内プレゼンにおいてきわめて重要なポイントなのです。

　では、よいグラフとはどんなグラフでしょうか？
　ずばり、決裁者に考えさせないグラフです。
　グラフを読み解くために、頭を使う手間をかけさせないのが、よいグラフなのです。グラフを目にした瞬間に、「よい状況」なのか「悪い状況」なのかがパッと伝わり、最大でも10秒以内に「このグラフは何を表現しているのか？」が理解できるようにするのです。直感的に理解できるグラフにできればベストでしょう。
　そのためには、社内資料に掲載されているグラフや、省庁がリリースする統計グラフなど、詳細なデータが記載されているグラフを、そのままスライドに貼り付けてはなりません。伝えたいことが端的に伝わるように、徹底的に編集しなければならないのです。

　グラフの編集テクニックはいくつかありますが、ここでは、最も基本的な鉄則をご紹介します。
　それは、「ワンスライド＝ワングラフ」という鉄則です。
　1枚のスライドにグラフがいくつも並んでいると、非常に理解しづらいスライドになります。それに、1つひとつのグラフも小さく表示するほかなく、

| 図 15-1 | グラフが複数あるとわかりづらい |

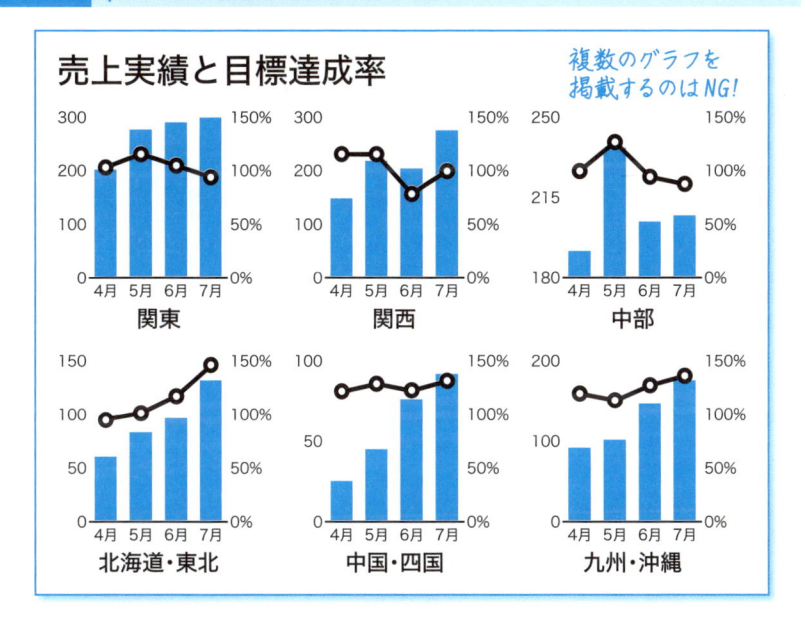

売上実績と目標達成率

複数のグラフを掲載するのは NG!

（関東／関西／中部／北海道・東北／中国・四国／九州・沖縄 の6つの棒＋折れ線グラフ）

それだけで見にくいスライドになってしまいます。

極端なケースですが、【図15-1】をご覧ください。これは、ある会社の地方支店ごとの売上実績と目標達成率を示すスライドです。本社の売上管理部門では、各支社ごとにデータをとっており、それをそのままスライドに貼り付けたわけです。

しかし、これを見せられた決裁者は、「何を言いたいのか？」がまったく理解できません。キーメッセージを入れるスペースもないため、なおさら理解不能です。しかも、縦軸の単位も不揃いですから、簡単に比較することもできません。これは、完全なNGスライドです。

プレゼンに「必要なデータ」だけ見せる

では、どうすればいいのでしょうか？

まず、伝えたいことを明確にします。たとえば、売上実績上位3支店は「関

東」「関西」「中部」だが、いずれも目標達成率が100％に届いていないことに警鐘（けいしょう）を鳴らしたいとします。

　とすれば、まず第1に、4月～7月の推移を見せる必要はありません。7月単月の実績で比較すれば済む話です。そして、【図15-2】のように、「売上実績」のグラフと「目標達成率」のグラフを、それぞれ1枚のスライドに掲載します。なぜなら、1つのグラフに「単位」の異なる複数の要素を入れ込むと、わかりづらくなってしまうからです。

　【図15-3】のように、「売上実績」については棒グラフで、それに重ねるように「目標達成率」を折れ線グラフで表示すると1枚のスライドに収めることができますが、これはNGです。「売上実績」については左の単位（目盛）で確認して、「目標達成率」については右の単位（目盛）で確認するのは、面倒くさいですよね？　1つのグラフで1つのメッセージを伝えることに徹したほうが、わかりやすいスライドになるのです。

　さらに、グラフの右側にはキーメッセージを置きます。「売上実績」のスラ

図 15-2　ワンスライド＝ワングラフで瞬時に理解できるスライドに

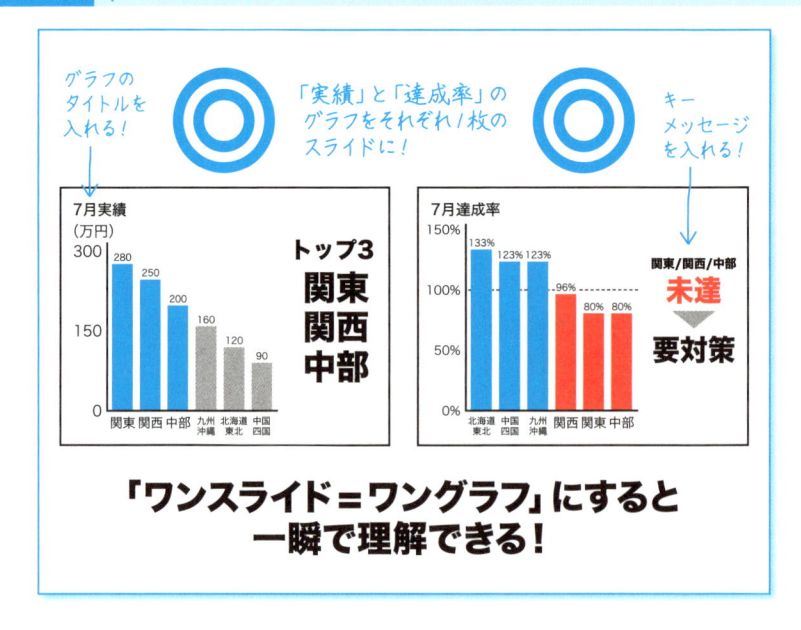

グラフのタイトルを入れる！

「実績」と「達成率」のグラフをそれぞれ1枚のスライドに！

キーメッセージを入れる！

7月実績（万円）
- 関東　280
- 関西　250
- 中部　200
- 九州沖縄　160
- 北海道東北　120
- 中国四国　90

トップ3
関東
関西
中部

7月達成率
- 北海道東北　133%
- 中国四国　123%
- 九州沖縄　123%
- 関西　96%
- 関東　80%
- 中部　80%

関東/関西/中部
未達
要対策

「ワンスライド＝ワングラフ」にすると一瞬で理解できる！

図 15-3　棒グラフと折れ線グラフを重ねるのはNG

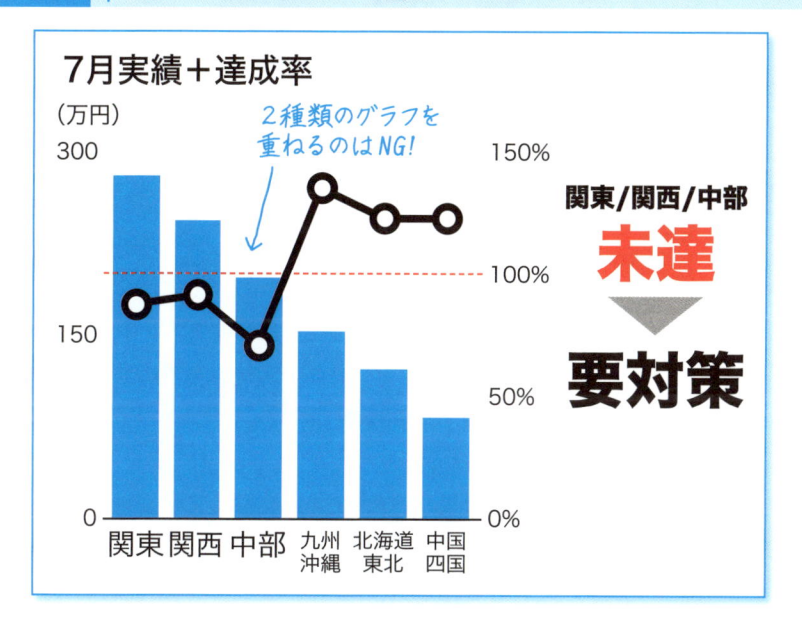

7月実績＋達成率

（万円）

2種類のグラフを重ねるのはNG！

関東/関西/中部
未達
▼
要対策

関東　関西　中部　九州沖縄　北海道東北　中国四国

イドでは、「トップ3　関東・関西・中部」と入れ、「目標達成率」のスライドでは、「関東・関西・中部　未達」▶「要対策」と入れます。こうすれば、一目で言いたいことが伝わります。

　なお、6つのグラフを掲載した元データ（図15-1）は必ずアペンディックスに入れておいてください。そうすれば、決裁者から「それぞれの支社の詳細データを見せてほしい」などと尋ねられても、すぐに説明することができます。逆に言うと、詳細データはアペンディックスにとっておけばいいのですから、本編スライドのグラフは徹底的に編集して構わないということです。

　なお、スライドには必ず「グラフのタイトル」を表記するようにしてください。場所はスライドの左上。「Zの法則」の起点に当たる場所にグラフ・タイトルを置くことで、「何をテーマにしたスライドなのか？」がすぐにわかるからです。もちろん、キーメッセージと同じように、できるだけ簡潔な言葉（13文字以内がベスト）にするように心がけてください。

Lesson 16 グラフは「左」、メッセージは「右」

グラフとメッセージを「縦」に並べない

グラフとメッセージをどのように配置するか？

これも、わかりやすいスライドをつくるうえで重要なポイントです。よく見かけるのが、【図16-1】のように、グラフとメッセージを縦に並べるスタイルです。グラフをより大きく見せる意図があるのだと思うのですが、実は、この配置は見る人に優しくありません。

というのは、人間の脳は、右脳はビジュアル、左脳は文字情報などの論理を理解することに特化しているからです。つまり、ビジュアルと文字情報を

図 16-1 グラフとメッセージを縦に並べるのはNG

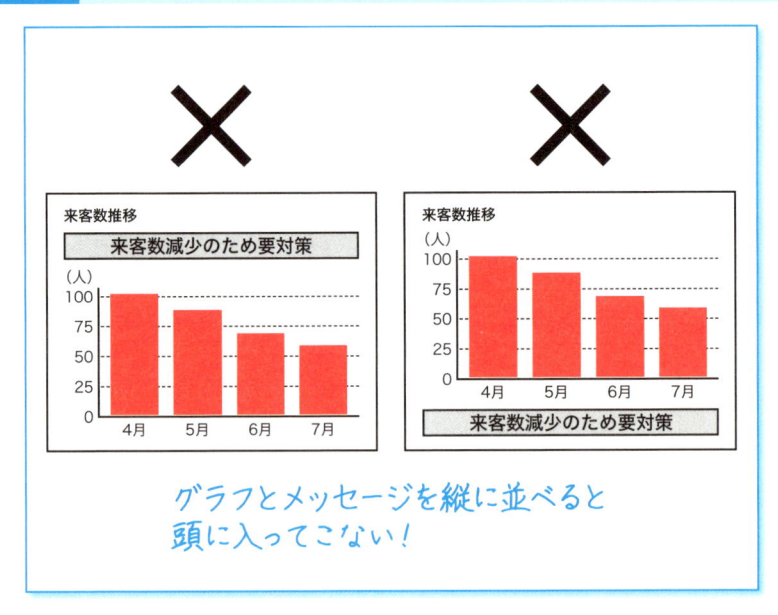

グラフとメッセージを縦に並べると頭に入ってこない！

図 16-2　左脳はテキスト、右脳はビジュアルの処理が得意

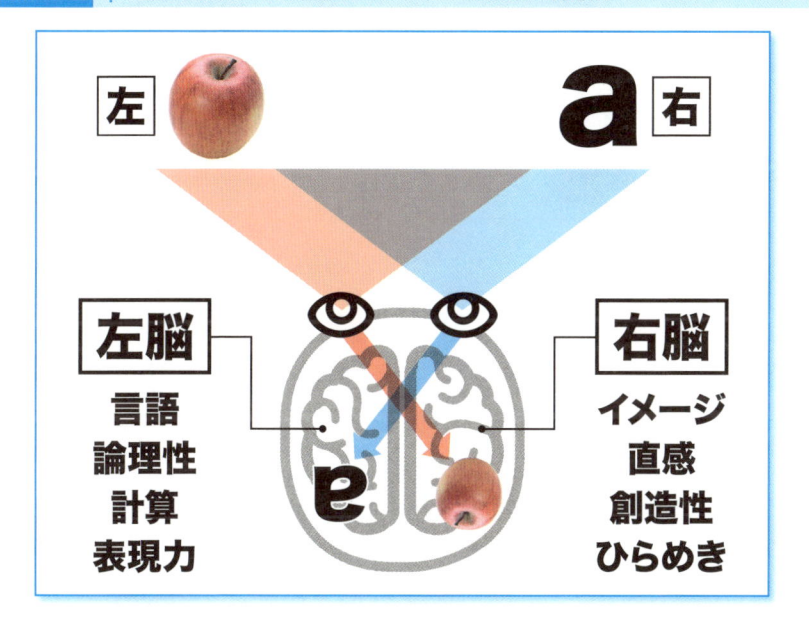

左脳
言語
論理性
計算
表現力

右脳
イメージ
直感
創造性
ひらめき

「上下」＝「縦」に配置するよりも、「左右」＝「横」に配置したほうが、両方の情報を脳内でスムースに処理できるのです。

では、グラフとキーメッセージを左右のどちらに振り分けたほうがよいのでしょうか？

答えは、「グラフ＝左」「キーメッセージ＝右」です。なぜなら、左側から入る情報は右脳へ、右側から入る情報は左脳へとつながっているからです（図16-2）。グラフを左に配置することで、ビジュアル処理が得意な右脳に届き、キーメッセージを右に配置することで、文字情報の処理が得意な左脳に届くことによって、脳は両者を瞬時に把握できるというわけです。

これは、実際に見比べてみると実感できます。【図16-3】の2つのスライドのどちらが頭にスッと入ってきますか？　グラフを「左」、キーメッセージを「右」に配置したパターンであるはずです。

図 16-3　グラフは「左」、テキストは「右」

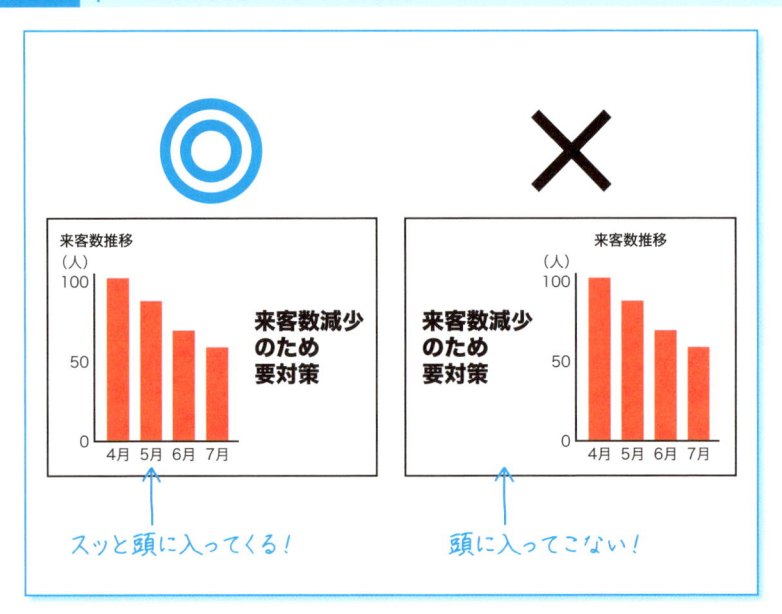

◎
来客数推移
(人)
100
50
0
4月 5月 6月 7月
来客数減少
のため
要対策
スッと頭に入ってくる！

×
来客数推移
(人)
100
50
0
4月 5月 6月 7月
来客数減少
のため
要対策
頭に入ってこない！

「逆L字」で目線を誘導する

　さらに、このスライドを見やすくするポイントがあります。

　ここで覚えていただきたいのは、「逆L字の法則」です。

　57ページで「Zの法則」をご紹介しました。何かを目にしたとき、その全体を把握するために、人の目はZの形で動くという法則でした。実は、この「Z」よりさらにスピーディに全体を把握するのが、「逆L字」なのです。

　そこで、【図16-3】の左のスライドをさらにブラッシュアップしたのが【図16-4】です。変更したのはキーメッセージです。「来客数減少のため要対策」を「来客数減」と「要対策」の2つに分解し、両者の因果関係を三角形のマークで示しているわけです。

　まず、キーメッセージを2つに分割することで、文字数が減るため、さらに認識されやすくなります。しかも、「グラフ」→「キーメッセージ①」→「キーメッセージ②」と「逆L字」で視線を誘導できるため、非常に理解しや

図16-4　「逆L字」でさらにわかりやすく

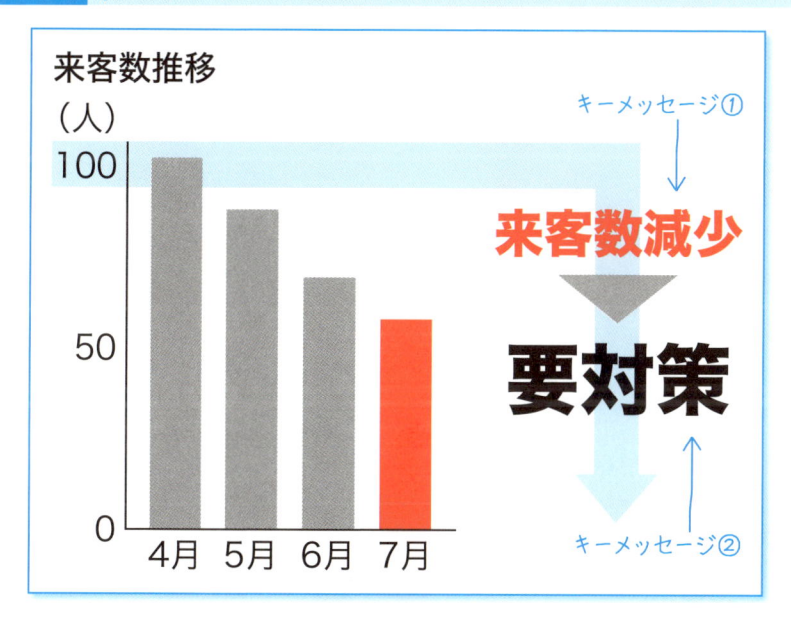

来客数推移（人）

（棒グラフ：4月 約100、5月 約90、6月 約70、7月 約60(オレンジ)）

キーメッセージ①　→　来客数減少　↓　要対策　↑　キーメッセージ②

すくなります。このスライドで最も訴えたいことは「要対策」というメッセージです。それが、「逆L字」の最短距離で決裁者の頭にインプットされるというわけです。

なお、一点ご注意いただきたいことがあります。
それは、キーメッセージをつなぐマークに矢印（↓）を使わない、ということです。というのは、「↓」を使うと、なんとなく「増減」を示しているように見えて、誤解を招きかねないからです（図16-5）。
だから、こういうときには必ず三角形のマーク（▽）を使用するようにしてください。このマークを使えば、「増減」を示していると誤解されることがないばかりか、「つまり」「なぜなら」「だから」など論理の因果関係を示していることが明確になるからです。

また、このマークはグレーなどを使用し、カラーは使用しないようにして

ください。青や赤のカラーを使えば、ポジティブな印象やネガティブな印象を与えて、ミスリードしてしまうおそれがあるからです。

「逆L字」をアニメーションで展開する

　私は、社内プレゼンのスライドで、アニメーション機能を使うことは基本的に避けるべきだと考えています（詳細はLesson 25）。
　あまりアニメーションが頻発すると、かえって決裁者の集中力を削ぐのがオチですし、「もう1回、3ページのスライドを見せて」と指示されて、そのページを表示すると再びアニメーションが再生されるのは鬱陶しいだけです。できるだけ余計なことをせず、シンプルにスライドをつくるのが社内プレゼンでは重要なのです。
　とはいえ、伝えたいことのロジックを視覚的に印象づけるためには、アニメーションが有効なこともあります。そのひとつが、「逆L字」誘導のための

図 16-5　論理の因果関係を示すのに矢印は使わない

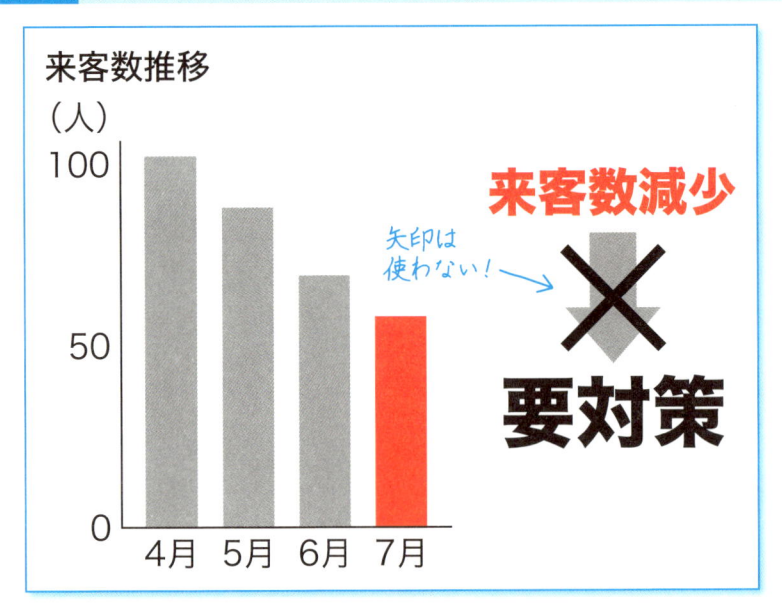

来客数推移
（人）
100
50
0
4月　5月　6月　7月

矢印は使わない！

来客数減少
×
要対策

図 16-6　目線を誘導するアニメーション

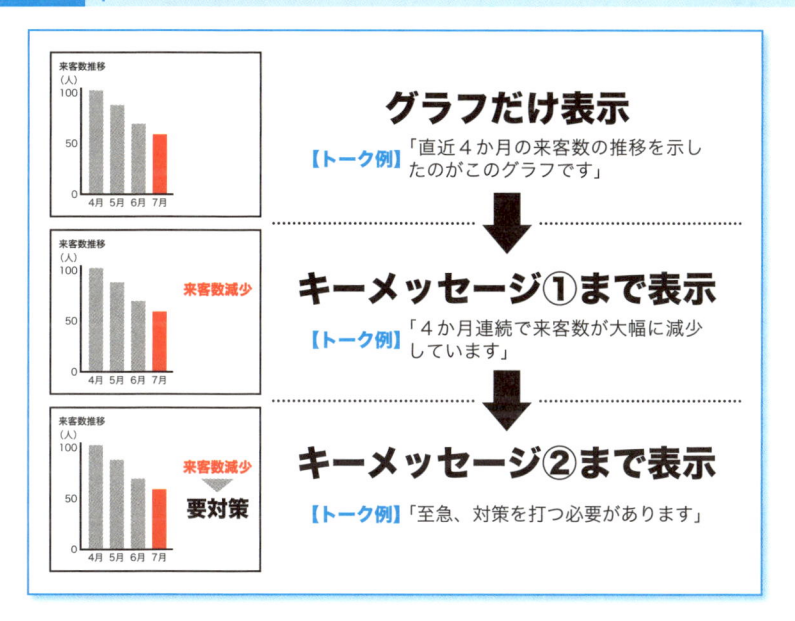

グラフだけ表示
【トーク例】「直近4か月の来客数の推移を示したのがこのグラフです」

⬇

キーメッセージ①まで表示
【トーク例】「4か月連続で来客数が大幅に減少しています」

⬇

キーメッセージ②まで表示
【トーク例】「至急、対策を打つ必要があります」

アニメーションです。

【図16-6】のように、まず「グラフ」だけを表示しながら、グラフの要点を口頭で伝えます。決裁者の目にはグラフしか見えませんから、その理解だけに集中してもらえます。そのうえで、「最近、来客数が急激に減少しています」などと、グラフが意味することを口頭で伝えながら、「キーメッセージ①」（来客数減少）を表示。さらに、「これは深刻な問題ですから、至急、対応策を講ずる必要があります」などと言いながら、「キーメッセージ②」（要対策）をスライドに表示するわけです（図16-6）。このようにアニメーションを施せば、決裁者には非常に理解しやすいプレゼンになるでしょう。

ですから、私は、社内プレゼンではほとんどアニメーションは使いませんでしたが、このようなスライドだけはアニメーションを使うようにしていました。論理の誘導にはアニメーションが有効。これは、覚えておいてほしいポイントです。

Lesson 17 余計な「数字」「罫線」は、すべてカットする

グラフは「見せたいもの」だけ見せる

　伝えたいことが端的に伝わるように、徹底的に編集する──。
　これが、グラフ作成のポイントです。
　そのためには、「見せたいものだけ見せる」というスタンスをもたなければなりません。
　資料のつくり手としては、すべての数字を律儀に見せることで安心できるかもしれませんが、その結果、ゴチャゴチャといろんな数字が書き込まれたグラフになれば、それを見せられた決裁者にとっては「よくわからないグラフ」になってしまいます。
　しかも、多くの決裁者は数字に敏感です。見せられた数字のすべてについて、「本当だろうか？」「なぜ、こういう数字になるんだ？」と確認したがる傾向があるのです。
　そのため、余計な数字をグラフに書き込むことによって、プレゼンの本筋とは関係のない部分についてツッコミを受け、それに応えるだけで時間がとられてしまうという結果になりがちです。もしも、ツッコミに適切に応えられなければ、それだけで、「信用できないプレゼン」というレッテルを貼られてしまう恐れもあります。

　だから、プレゼンの本筋とは関係のない要素はすべてカットするのが正解です。そして、伝えたい部分を強調するなどして、あなたが意図する内容がストレートに伝わるように工夫する。つまり、「見せたいものだけ見せる」のが、グラフ編集のコツなのです。

意味が通るギリギリまでカットする

では、具体的にどうすればいいか？

早速、実際に「わかりにくいグラフ」を「わかりやすいグラフ」に編集してみましょう。まず、最も基本的なグラフである「棒グラフ」からご説明します。【図17-1】をご覧ください。これは、ある出版社の月例報告会議で、書籍の売上が前月比約2倍に伸びており、非常に好調であることを示すスライドです。

私ならば、これを次ページの【図17-2】のように編集します。改善点は次のとおりです。

①余計なデータはカット

まず、【図17-1】では4か月分の売上推移を掲載していますが、月例報告会議なのですから、6～7月の2か月分の推移を示せば足ります。4～5月のデータは本編スライドではカットして、アペンディックスに格納すればOK。

図17-1 わかりにくい棒グラフのスライド

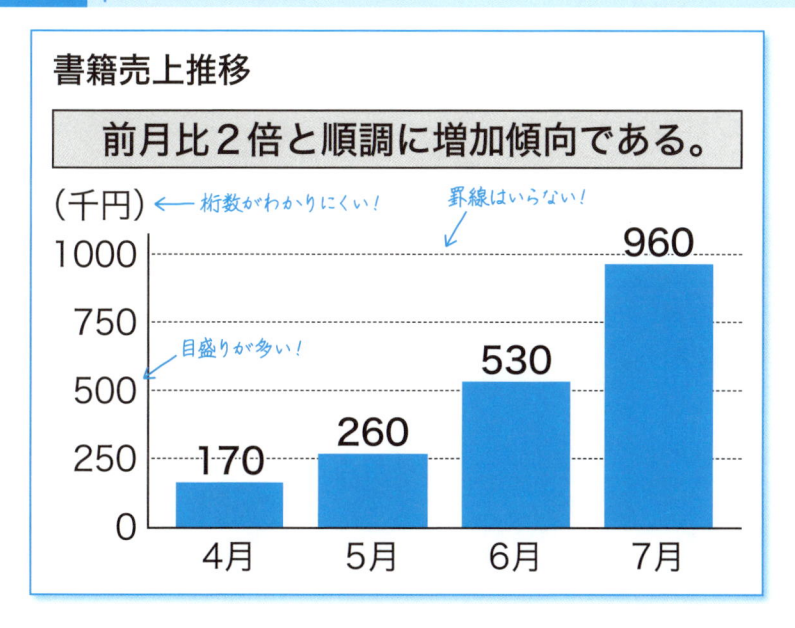

書籍売上推移

前月比2倍と順調に増加傾向である。

(千円) ← 桁数がわかりにくい！
罫線はいらない！
目盛りが多い！

- 4月: 170
- 5月: 260
- 6月: 530
- 7月: 960

第3章 グラフは「一瞬」で理解できるように加工する

もちろん、会社によっては、「過去数か月分や数年分のデータを見せる」というルールがあることもありますので、その場合は、そのルールに従ってください。ただ、本来は、プレゼンの趣旨から不要と考えられる要素はすべてカットするのが原則です。

②桁数をわかりやすくする

　桁数も変更しました。【図17-1】では、「250千円」「500千円」と「千円単位」の表記になっていますが、一般的には読み取りづらい単位表記です。「万円」単位にしたほうが、一目で数字を読み取ることができるでしょう。

　プレゼン資料で使用する単位・桁数は、あなたの会社が普段使っていて、決裁者も見慣れているものに書き直すように心がけてください。特に、官庁などのホームページから元グラフを引っ張ってきた場合には、桁数が一般的でないケースが見受けられますから、要注意です。

③罫線・単位をカット

　【図17-1】では、「250千円」「500千円」と250千円刻みで4本の目盛りの罫

図 17-2　わかりやすい棒グラフのスライド

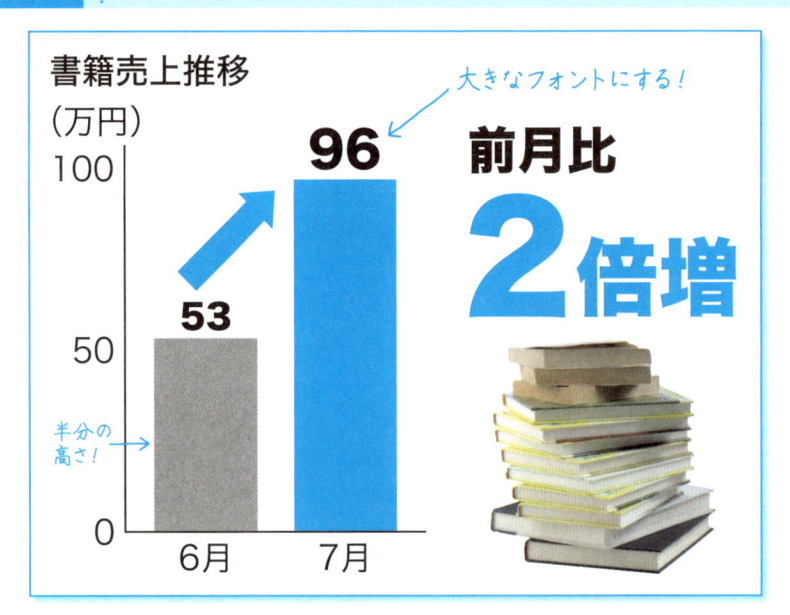

図 17-3 ▶ グラフは「半分の高さ」でわかりやすくなる

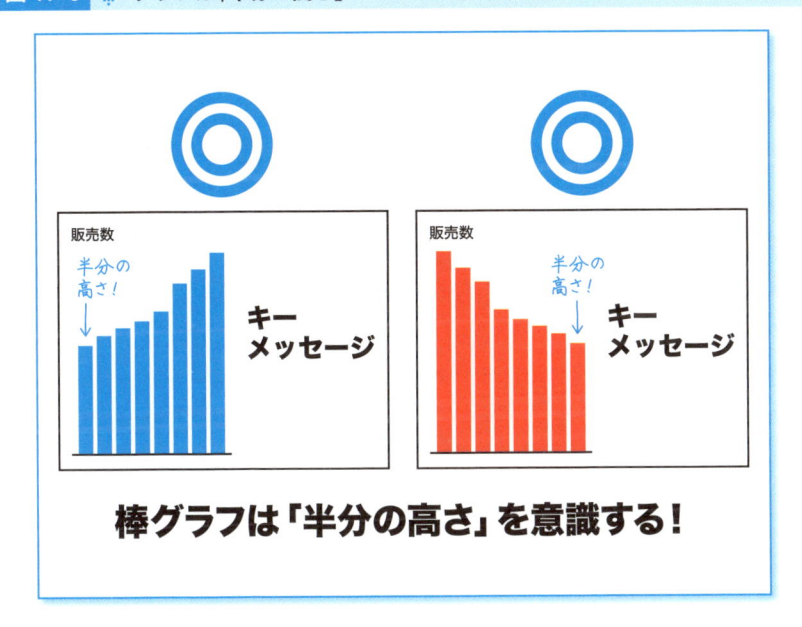

棒グラフは「半分の高さ」を意識する！

線が入っていますが、煩わしいので取ります。6月売上「53万円」が7月には「96万円」に激増していることが、ビジュアルで伝われば十分なので、わざわざ罫線を入れる必要はありません。

また、単位の刻みも「50万円」「100万円」の2つに簡略化しました。単位の数字表記が多いと、それだけでグラフが複雑に見えますから、できるだけ簡略化するようにしてください。このように「目盛り」「罫線」「単位」などは、意味がとおるギリギリまでカットしてしまってOKです。

矢印を使って「増減」を印象づける

④グラフは「半分の高さ」で差が明確になる

ここからは、数字の増減をより効果的に見せるテクニックをご紹介します。【図17-2】をよくご覧ください。6月売上「53万円」の棒グラフの上辺の位置が、グラフの上下の長さのちょうど半分くらいの位置にあるのがわかるで

しょうか？　私は、これを意図して「半分の高さ」に置きました。数字が増えていることを印象づけるには、増加の出発点となる棒グラフの位置を「半分の高さ」にすると、より効果的だからです。

【図17-3】をご覧ください。左は「半分の高さ」から増加が始まります。右は最も減少したところが「半分の高さ」になっています。こうすることで、増減がより明確に伝わるのです。印象操作と言われるかもしれませんが、それは当たりません。なぜなら、グラフの示す数値にはウソ偽りがないからです。伝えたいことをよりよく伝えるためには、むしろ、こうした編集力こそが重要となるのです。

　なお、このテクニックは、グラフをスライドの左半分のスペースにコンパクトに配置することとワンセットです。【図17-4】を見ればわかるように、グラフをスライドの左右いっぱいを使って表示すると、増減を際立たせる効果はほとんど感じられなくなってしまうからです。

図 17-4　スライド左右いっぱいに使うと増減がはっきりしない

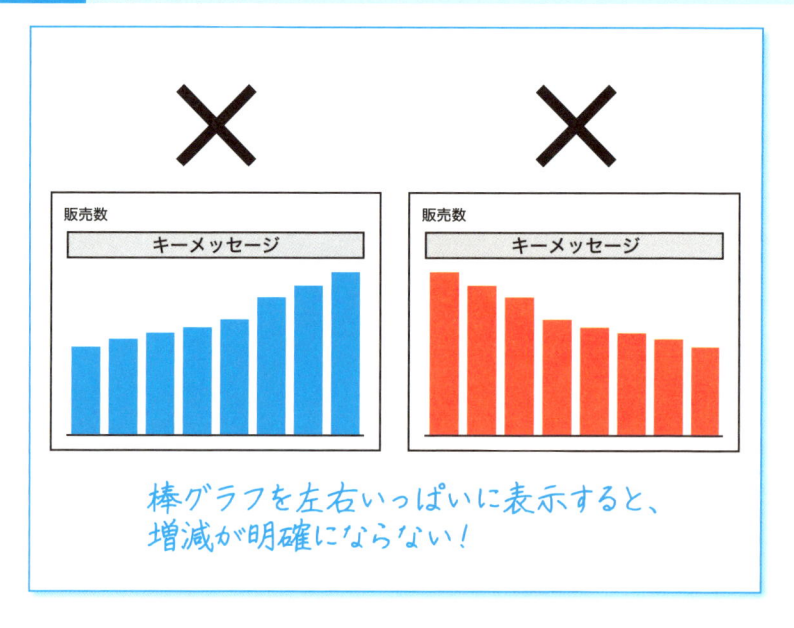

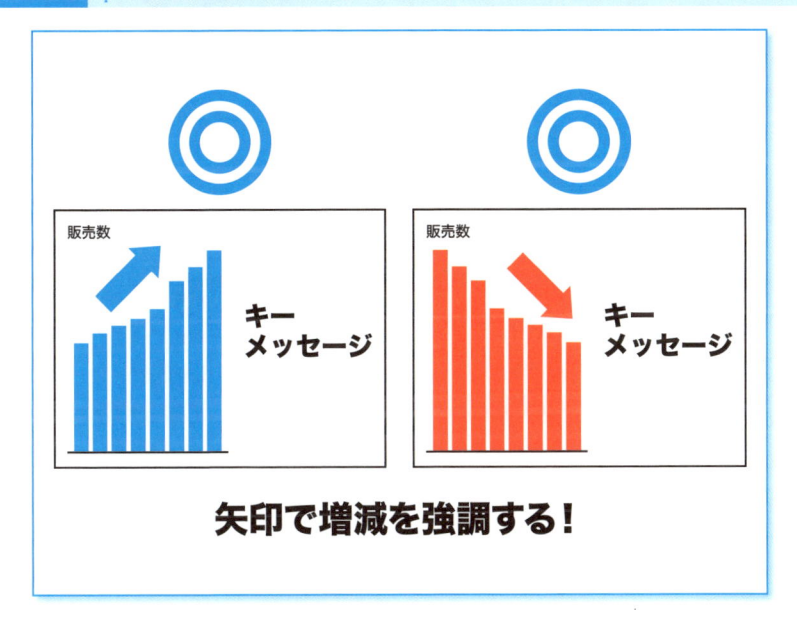

図 17-5　矢印で増減を印象づける

矢印で増減を強調する！

⑤矢印で「増減」を印象づける

　また、【図17-5】のように太い矢印を付け加えることで、「増減」を強く印象づけます。増加の場合は「青」、減少の場合は「赤」でカラーリング。さらに、7月売上の「96万円」を6月売上の「53万円」より大きなフォントを使うことで、増加をより一層強く印象付けることができます（図17-2）。

　棒グラフに関しては、ここでご紹介した手順で編集を加えれば、格段にわかりやすいグラフに仕上げることができます。慣れれば、複雑なグラフもあっという間に編集できるようになるでしょう。

Lesson 18 棒グラフで「これ」はNG

🔹「省略の波線」は使わない

　棒グラフは、非常に使い勝手のよいグラフです。社内プレゼンにおいても、最も使用頻度の高いグラフだと言えるでしょう。ただし、いくつか使用上の注意点があります。ここでは、NGな棒グラフについてご説明していきます。

　まず、「足切りグラフ」「省略線」と呼ばれる「波線」を使う棒グラフがありますが、これはNGです。【図18-1】のように、月次の売上推移を示すときに、毎月の変化が微々たるものであるときには「波線」を使いたくなります。

　しかし、「波線」を使ってしまうと、「印象を操作しようとしているのでは

図 18-1　「波線グラフ」はNG

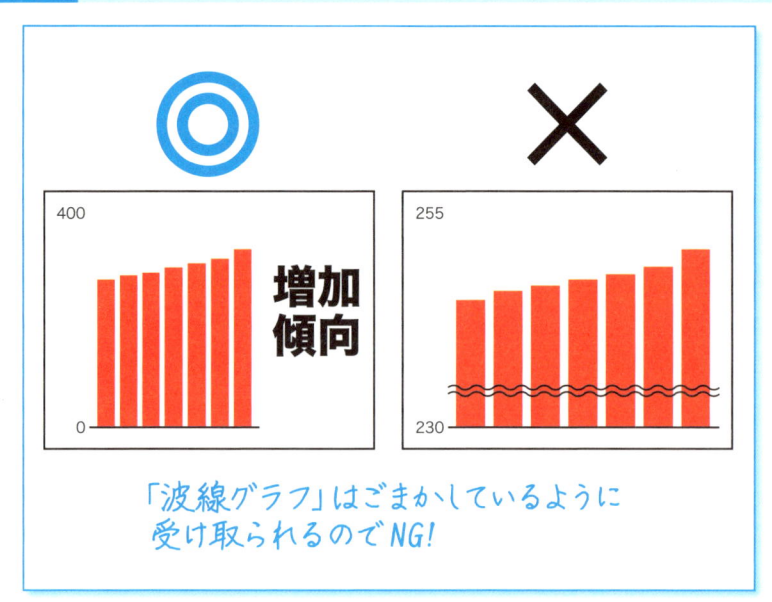

「波線グラフ」はごまかしているように
受け取られるのでNG!

> 図 18-2　「3Dグラフ」はNG

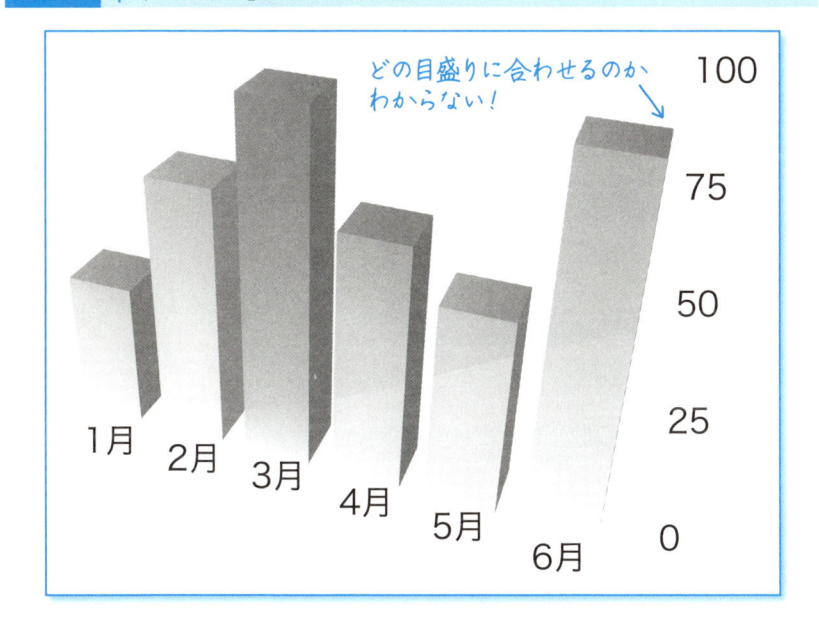

(グラフ内注記：どの目盛りに合わせるのか わからない！)

1月　2月　3月　4月　5月　6月
100　75　50　25　0

ないか？」「ごまかそうとしているのではないか？」といった疑念を抱かせてしまう恐れがあります。

　このような場合には、毎月の変動が微々たるものであっても、それをストレートに示すようにしてください。「波線グラフ」を使って疑念をもたれるよりも、よほどスムースにプレゼンをすることができるはずです。

「3Dグラフ」「横棒グラフ」はNG

【図18-2】のような「3Dグラフ」もNGです。

　一見カッコよく見えますが、棒グラフの手前と奥で高さが違いますから、どちらが正しい高さなのかがわかりません。「ごまかそうとしているんじゃないか？」と印象操作を疑われるのがオチです。代わり映えがしないと思われるかもしれませんが、少なくとも社内プレゼンでは、従来どおり「2Dグラフ」を使うようにしてください。

図 18-3 「横棒グラフ」はNG

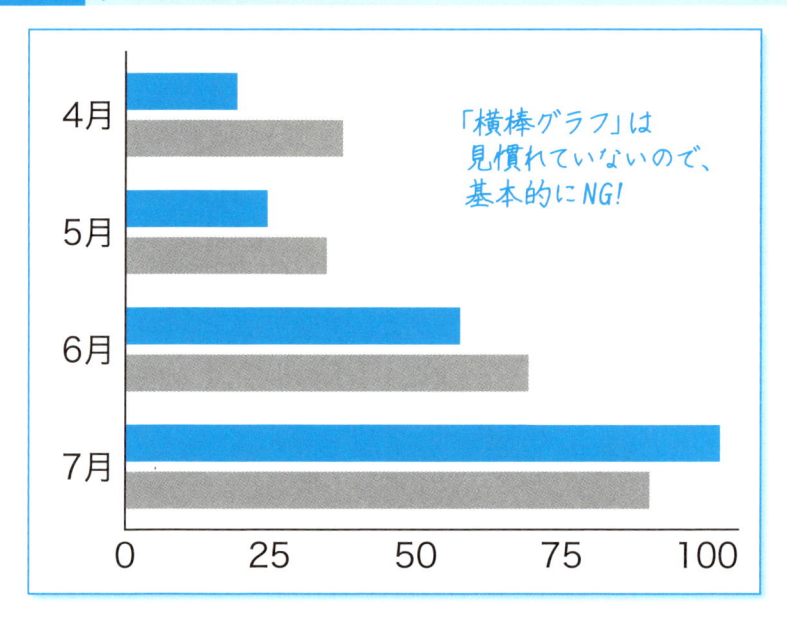

「横棒グラフ」は
見慣れていないので、
基本的にNG！

　また、【図18-3】のような「横棒グラフ」もおすすめしません。
　日本人は「縦棒グラフ」に慣れ親しんでいますので、「横棒グラフ」を直感的に把握するのが苦手だからです。なんとなく横棒グラフのほうが新鮮に見えるかもしれませんが、わかりやすいのが社内プレゼンの鉄則。迷うことなく縦棒グラフに統一するのが正解です。
　ただし、アンケート結果を棒グラフ化するときだけは、横棒グラフを使用します。おそらく、アンケート結果は横棒グラフで見ることに慣れている人が多いのでしょう。縦棒グラフよりもスッと認識してもらえる確率がかなり高いのです（詳しくはLesson 21）。

Lesson 19 円グラフは「ワンカラー効果」で印象づける

「ワンカラー」＋「グレーのグラデーション」

　円グラフも、社内プレゼンでよく使うグラフです。

　構成比や割合を示すのに適しているのが特徴です。この円グラフにも、わかりやすくするテクニックがありますので、それをご紹介します。

　まず、【図19-1】をご覧ください。これは、携帯電話のPRに関するプレゼン資料。女性顧客のなかでも30代女性が突出して多いことを示すスライドです。30代女性をターゲットにしたPRを提案しようとしているわけです。

　しかし、このスライドでは、「何を伝えようとしているのか」がわかりづら

図19-1　わかりにくい円グラフ

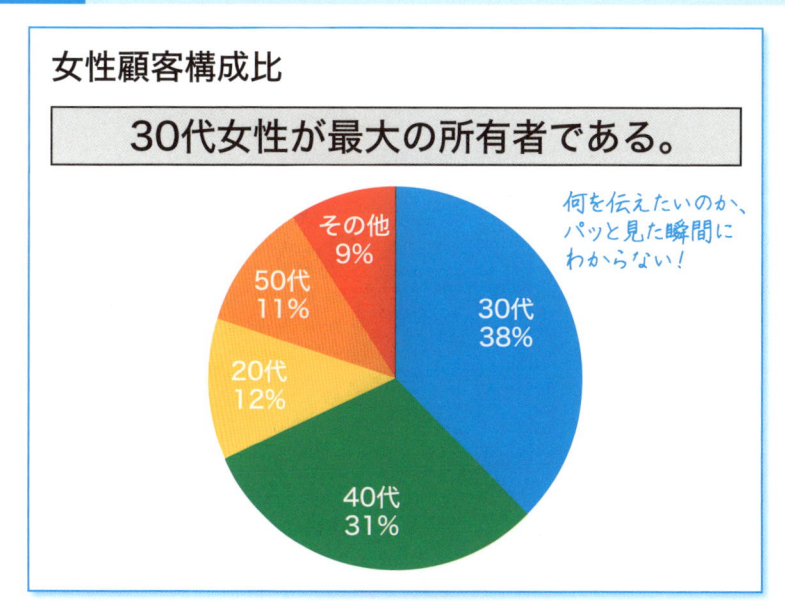

女性顧客構成比

30代女性が最大の所有者である。

- 30代 38%
- 40代 31%
- 20代 12%
- 50代 11%
- その他 9%

何を伝えたいのか、パッと見た瞬間にわからない！

第3章　グラフは「一瞬」で理解できるように加工する

いですね？　そこで、私ならば、【図19-2】のように編集を加えます。

　まず、ご注目いただきたいのが円グラフのカラーです。30代女性の部分だけ青で強調し、それ以外の部分はグレーのグラデーションで表現しています。さらに、この部分を円グラフ本体から切りだして、少しズラすデザインを施しています。こうすると、「30代女性が多い」ということが一目でわかるからです。これを、「ワンカラー効果」と言います。モノクロの上に、ワンカラーだけを置くことで、そのワンカラーの部分を際立たせる編集手法です。

「数字」を強調してパワースライドにする

　また、このワンカラーの部分の上に「30代女性　38%」というテキストを置くのではなく、キーメッセージとして大きく表示しました。【図19-1】のキーメッセージは「30代女性が最大の顧客層である」でしたが、これでは13文字を超えてしまいますし、何よりキーメッセージの要素として強力な「38%」

図 19-2　わかりやすい円グラフ

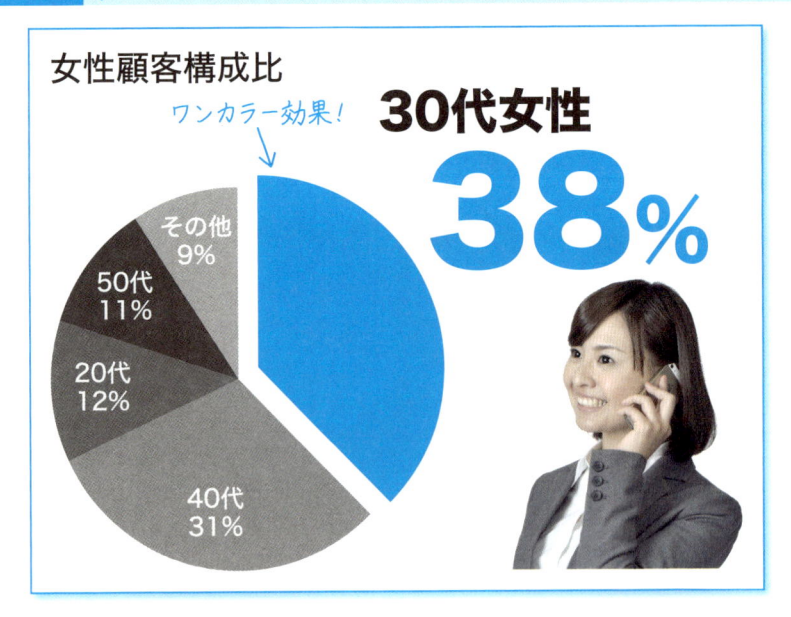

図 19-3　構成比をブレイクダウンするときは棒グラフ

顧客構成比

男性 40%
女性 60%

その他
50代
40代
30代 38%
20代

構成比を
ブレイクダウンするときは
「棒グラフ」！

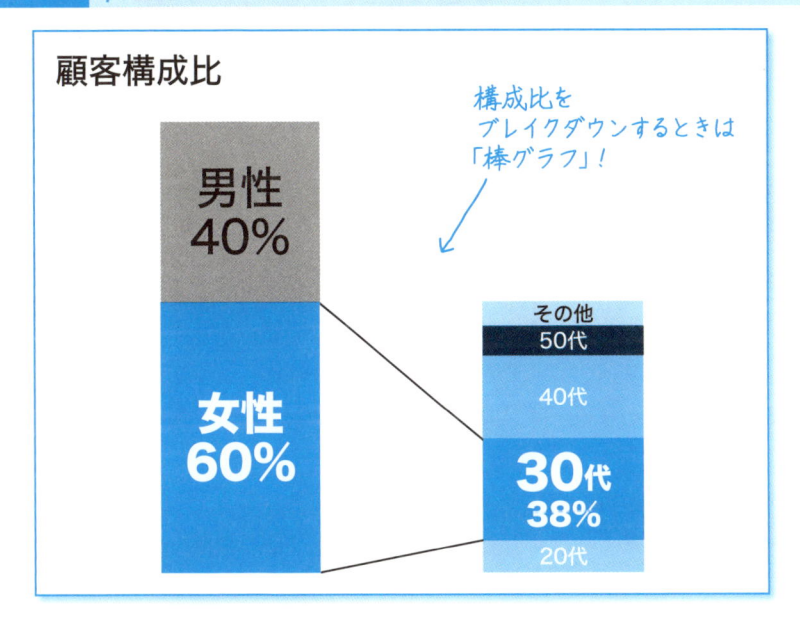

という数字が抜け落ちています。

　そこで、「30代女性　38%」をキーメッセージとして大きく表示したわけです。「38%」の部分を、円グラフのワンカラーと同じ青で表示すれば、円グラフとキーメッセージが連動して、30代女性が「38%」で「最大の顧客層」であることが一目でわかるという仕掛けです。

　さらに、「30代女性が携帯電話を使っているビジュアル」を添えることで、よりメッセージが伝わりやすくしました。「男性・女性」など、ビジュアル化しやすいものは、このように写真を添えることで、直感的にわかるスライドにすることができます。

　なお、構成比をブレイクダウンしていく場合には、【図19-3】のように、棒グラフで表現します。ここでの注意点は、必ず左から右に展開するということです。このグラフのように要素をブレイクダウンするときのみならず、時系列で並べるときなども、すべて左から右に流すように統一してください。「左から右」と「右から左」が混在すると、決裁者が戸惑うからです。

Lesson 20 折れ線グラフは「角度」をつける

折れ線グラフの"お尻"に数字を置く

折れ線グラフも、社内プレゼンでは頻出するグラフです。

推移や比較を行ううえで、非常に使い勝手がいいのが特徴です。ただ、複数の折れ線がクロスすることもあり、グラフが複雑になりがちですから、編集には最も手をかけるべきグラフと言ってもいいかもしれません。

早速、具体的に折れ線グラフの編集をしてみましょう。
【図20-1】をご覧ください。これは、商品の返品率の推移をライバル2社と

図20-1　わかりにくい折れ線グラフ

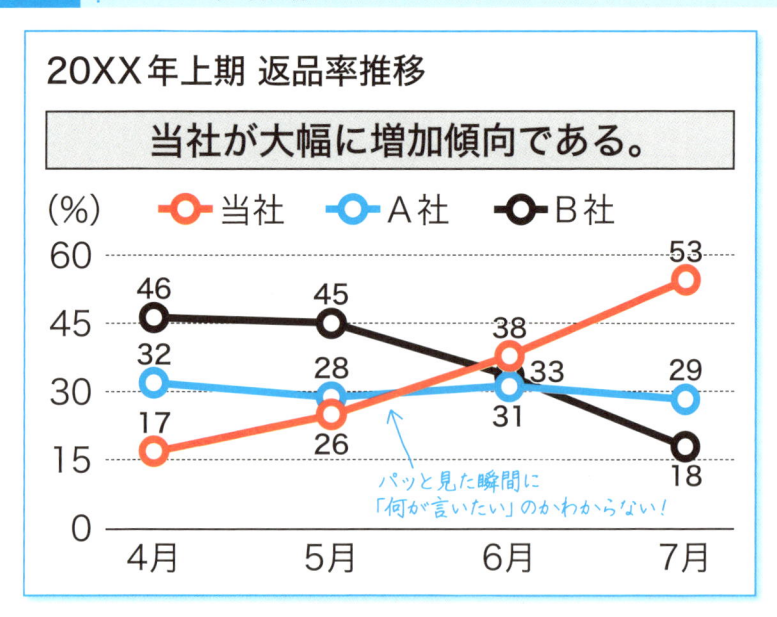

20XX年上期 返品率推移

当社が大幅に増加傾向である。

（当社・A社・B社の返品率推移グラフ）

	4月	5月	6月	7月
B社	46	45	38	18
A社	32	28	33	29
当社	17	26	31	53

パッと見た瞬間に「何が言いたい」のかわからない！

図 20-2　わかりやすい折れ線グラフ

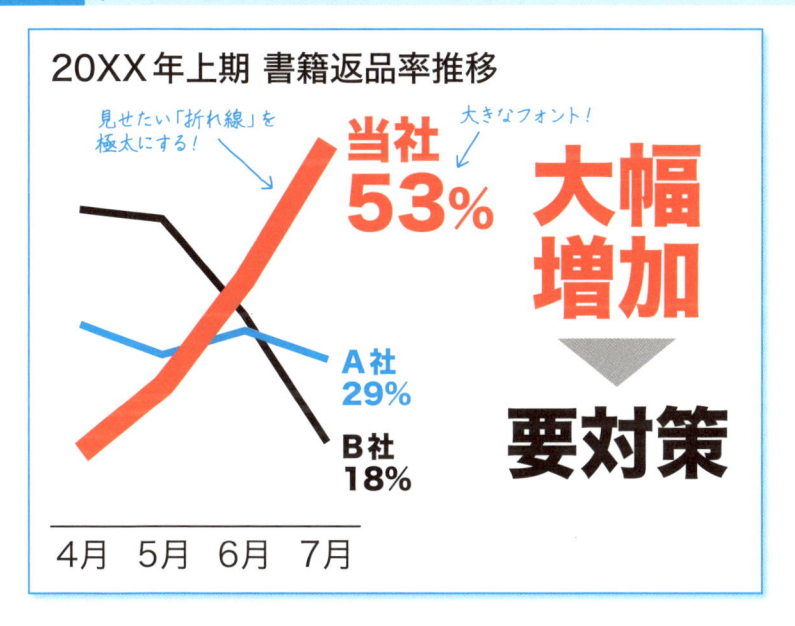

20XX年上期 書籍返品率推移

見せたい「折れ線」を極太にする！

大きなフォント！

当社 53%

大幅増加 ▼ 要対策

A社 29%
B社 18%

4月　5月　6月　7月

比較したものです。自社の返品率が急激に高まっていることに警鐘を鳴らし、対策の必要性を訴えるスライドです。

　私ならば、これを【図20-2】のように編集します。

　まず、棒グラフと同じく余計な「数字」「罫線」「凡例（「⊸当社、⊸A社、⊸B社」の部分）」はすべてカットします。折れ線グラフの途中にある数字は不要。最新の数字である「当社　53%」「A社　29%」「B社　18%」を、折れ線の"お尻"に表記すればOKです。

　重要なのは、決裁者に強く印象づけたい「当社　53%」の部分を大きく表示すること。さらに、自社にとっては危機的な状況ですから、赤でカラーリングすることでアラートを鳴らします。

「凡例」はグラフのなかに入れ込む

　棒グラフと同様、横罫も不要です。また、この折れ線グラフは、返品「率」

を示すものですから、縦軸は100%になることは自明のこと。ですから、縦軸の目盛りも不要です。数量を示す折れ線グラフの場合には、縦軸の目盛りが必要となりますが、その場合でも最小限に絞ってOKです。

「凡例」もカットします。折れ線グラフに限らず、グラフには「凡例」がよく出ますが、小さく表示しなければならないため、グラフを複雑なものに見せてしまいがちです。ですから、「凡例」はカットして、その内容をグラフのなかに入れ込むようにしてください。

グラフの横幅を狭めて、折れ線に「角度」をつける

さらに、折れ線グラフをより効果的に見せるテクニックがあります。

まず、強調したい折れ線を「極太」にします。【図20-2】において、最も重要なのは「当社の返品率が急激に上昇している」ことを示すことです。そこで、この折れ線を極太にすることで、決裁者の注意を喚起するわけです。もちろん、望ましくない状況ですから、赤でカラーリングします。

さらに、スライドの左半分のスペースにグラフを収めることで、グラフの横幅を狭めます。こうすることで、折れ線に角度がつくため、より危機感を印象付けることができるわけです。【図20-1】の緩やかなカーブよりも、【図20-2】の急カーブのほうが、訴求力があるのは一目瞭然です。

また、グラフの横幅を狭めることで、右側に入るキーメッセージのスペースを確保することにもつながります。これは、非常に有効なテクニックですので、折れ線グラフを編集するときには、どんどん活用していただきたいと思います。

なお、【図20-1】の折れ線グラフの上には〇マークがついていますが、こういうマークは不要です。折れ線グラフは、物事の推移や他社との比較がわかればOK。そのために不要な要素は、すべてカットして構わないのです。

Lesson 21 アンケート調査のグラフは、「読ませない」ようにする

◆ アンケート調査は「横棒グラフ」か「円グラフ」

アンケート調査の結果を受けて、プレゼンを行うこともよくあります。

自社で行ったアンケートに基づくケースもあれば、ウェブで取得したアンケート結果を参考データとして活用する場合もあるでしょう。いずれの場合にも、必ず、アンケート結果はグラフ化するようにしてください。

なかには、【図21-1】のようなアンケートの集計表をそのまま本編スライドに貼り付ける人もいますが、これはわかりづらいのでNG。必ずグラフ化して、一目でわかるようにしてください。そして、元データはアペンディック

図 21-1 わかりにくいアンケート結果のスライド

ユーザアンケート調査：よく食べるフルーツ

（アンケート集計表をそのまま掲載するのはNG!）

	全体(n=300)			男性(n=150)			女性(n=150)	
1位	バナナ	76%	1位	バナナ	74%	1位	バナナ	78%
2位	リンゴ	61%	2位	リンゴ	61%	2位	リンゴ	62%
3位	ミカン	48%	3位	ミカン	48%	3位	ミカン	47%
4位	イチゴ	41%	4位	イチゴ	40%	4位	イチゴ	42%
5位	グレープフルーツ	28%	5位	オレンジ	23%	5位	キウイフルーツ	37%
6位	オレンジ	27%	6位	グレープフルーツ	21%	6位	グレープフルーツ	35%
6位	キウイフルーツ	27%	7位	パイナップル	19%	7位	オレンジ	31%
8位	ナシ	21%	8位	ナシ	18%	8位	ナシ	23%
9位	パイナップル	20%	9位	ブドウ・マスカット	17%	9位	パイナップル	20%
10位	ブドウ・マスカット	18%	9位	キウイフルーツ	17%	10位	スイカ	15%

スとして格納します。

　アンケート調査をグラフ化するには、大きく2つのやり方があります。「棒グラフ」と「円グラフ」です。
　両者をどう使いわけるか？
【図21-1】のように複数回答で、グラフに表示されるパーセンテージの合計が100%にならない場合は、【図21-2】のような棒グラフ。100%になる場合は、【図21-3】のように円グラフを活用します。
　注意していただきたいのは、アンケート調査の棒グラフは「横棒グラフ」にすることです。棒グラフは「縦棒グラフ」が基本ですが、アンケート調査に関しては一般的に「横棒グラフ」が多いため、ほとんどの決裁者にとっても見やすいからです。アンケート調査は横棒グラフ、それ以外はすべて縦棒グラフと覚えてくださってOKです。
　また、元データには10種類のフルーツが掲載されていますが、グラフでそ

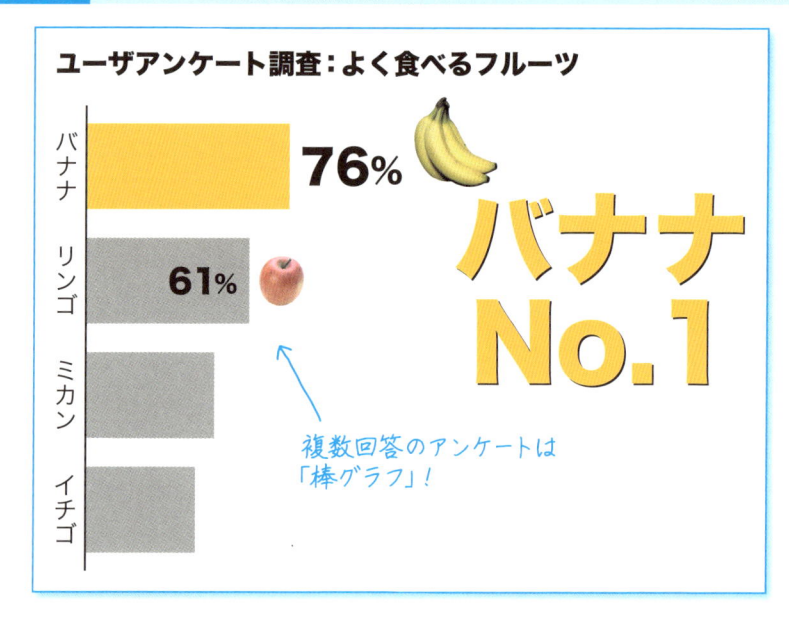

図 21-2　棒グラフを使用したわかりやすいスライド

ユーザアンケート調査：よく食べるフルーツ

- バナナ　76%
- リンゴ　61%
- ミカン
- イチゴ

バナナ No.1

複数回答のアンケートは「棒グラフ」！

図 21-3　円グラフを使用したわかりやすいスライド

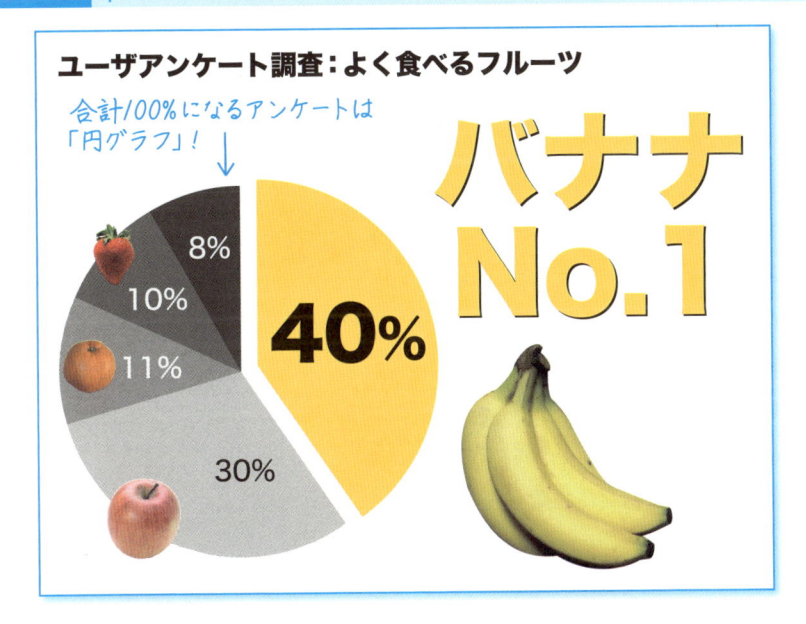

ユーザアンケート調査：よく食べるフルーツ

合計100％になるアンケートは「円グラフ」！

8％
10％
11％
30％
40％

バナナ
No.1

のすべてを表示する必要はありません。むしろ、スペースに限りがありますから、無理にすべてを表示しようとすると、きわめて見づらいグラフになってしまいます。ここでは、「ユーザーが最も求めているものは何か？」が伝わればいいのですから、【図21-2】【図21-3】のように上位4つに絞ってグラフ化すれば足りるのです。

アンケート項目は「単語」に置きかえる

　アンケート結果をスライド化したときに、厄介な問題があります。
　アンケートは、対象者から正確な回答を引き出すために、【図21-4】のように、選択肢が具体的で長い文章に設定されていることが多いものです。それを、そのままスライドに掲載してしまうと、決裁者がそのすべてを「読もう」としてしまうのです。
　それだけで時間が経過してしまうのはもちろん、「この項目についてのユー

ザーの反応はどう？」など、プレゼンの趣旨とはズレた議論に発展しかねません。

そこで、【図21-5】のように、アンケート項目はすべて、単語に置きかえてください。それが難しい場合には、できるだけ短い文章に置きかえるようにしてください。

文字も小さくしてOK。下位項目はカットしてしまってもいいでしょう。万一、「その他にはどんな項目があるの？」と聞かれても、元データをアペンディックスに入れておけば問題ありません。

もちろん、グラフ本体も伝えたい部分以外はグレーにします。ワンカラー効果を狙うのはもちろん、読んでほしくない部分を目立たせない効果も期待できます。

このように、決裁者に余計なことを考えさせないために、情報をカットしたり、表現に強弱をつけるのも、プレゼン資料の重要なポイントなのです。

図 21-4　読ませてしまうスライドはNG

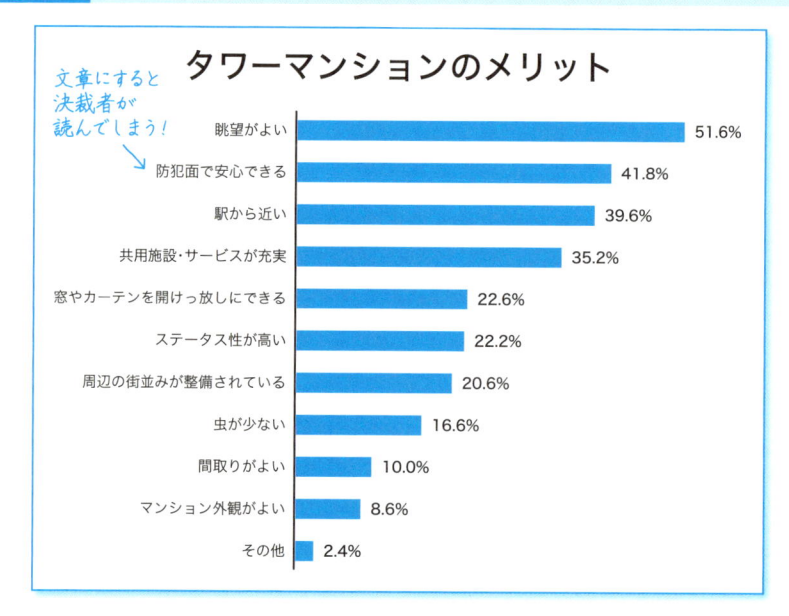

タワーマンションのメリット

文章にすると決裁者が読んでしまう！

- 眺望がよい　51.6%
- 防犯面で安心できる　41.8%
- 駅から近い　39.6%
- 共用施設・サービスが充実　35.2%
- 窓やカーテンを開けっ放しにできる　22.6%
- ステータス性が高い　22.2%
- 周辺の街並みが整備されている　20.6%
- 虫が少ない　16.6%
- 間取りがよい　10.0%
- マンション外観がよい　8.6%
- その他　2.4%

図 21-5 ▸ 読ませないスライド

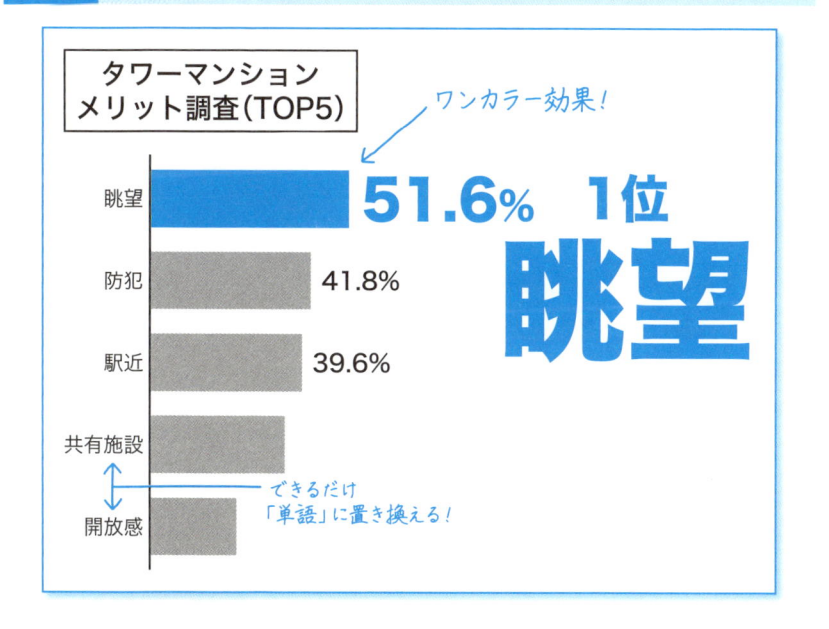

タワーマンション
メリット調査(TOP5)

ワンカラー効果！

眺望　51.6%　1位
防犯　41.8%
駅近　39.6%
共有施設
開放感

眺望

できるだけ
「単語」に置き換える！

Lesson 22 データは「画像」で検索する

「1年以内の期間指定」で検索する

　社内プレゼンにおいて、最大の武器となるのが「データ（数字）」です。

　いかに良質なデータを集めて決裁者を説得するか。これが、採否を決定づけるのです。だから、自社で得たデータや調査結果だけでは決め手にかけるときや、自ら調査してデータをつくり出す時間や予算がないときは、なんとかして社外からデータを集めなければなりません。

　そこで、重要になるのが、インターネットの検索スキルです。短時間で効率よく、的確なデータを探し出す能力を磨く必要があるのです。私の実感では、このデータ検索の巧拙がプレゼン資料の作成に費やす時間を大きく左右します。簡単なコツですから、ぜひ、すぐにも実践してください。

　データ検索のコツは2つです。
　まず、重要なのが「期間指定で検索する」こと。
　なぜなら、プレゼンで必要なのは最新データだからです。ビジネスにおいて1年以上前のデータは古い。「昔の話でしょ？」と相手にしてもらえません。ですから、少なくとも「1年以内」の期間指定をして検索をしてください。期間指定をかけることで、検索されるサイトの数も絞り込まれますから、その分、最適なデータを探し出すことも容易になります。

　期間検索の方法は次のとおり。
　Googleの検索窓の真下にある「検索ツール」をクリック（図22-1参照）。すると、「期間指定なし」というタブが出てくるので、これを「1年以内」に設定し直します。さらに直近のデータに絞りたいときには、「半年」「1か月」と設定すればOKです。

図 22-1 「期間指定」で検索する

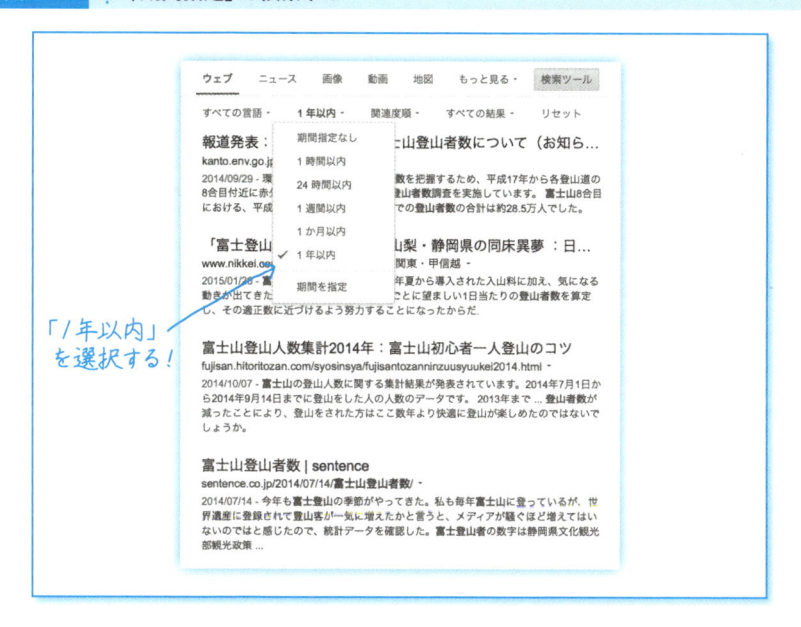

「1年以内」を選択する！

データは「画像」としてネット上に存在している

　第2のコツは、画像で検索することです。

　なぜなら、グラフや表は「画像」としてインターネット上に存在しているからです。テキスト検索をしてからデータを探すよりも画像検索のほうが、求めているデータにたどり着くスピードが圧倒的に速いのです。

　やり方は簡単。

　たとえば、「富士山　登山者数」というキーワードで検索すると、【図22-1】のような検索結果が表示されます。「1年以内」と期間指定したうえで、検索窓の真下にある「画像」をクリック。すると、ウェブページのなかに含まれている写真やイラスト、グラフなど画像だけを一覧表示した画面に切り替わります（図22-2）。

　そのなかで、資料として使いたいグラフを見つけたらクリックし、「ページを

第3章　グラフは「一瞬」で理解できるように加工する　107

表示」から当該サイトに飛びます。そのサイトが信頼できるものかどうかを確認したうえで、問題がなさそうであれば、グラフをコピー&ペーストでスライドに載せます（本編スライドであれば、もちろん編集します）。

　画像検索の利点は、海外サイトからも容易にデータをピックアップできることです。グローバルスタンダードを知りたい、海外の競合の動向を調べたいという場合、外国語が得意な人は外国語のサイトを容易に読みこなすことができるでしょう。しかし、そうでない人は、どうすれば欲しいデータにたどり着けるか途方に暮れるはずです。
　しかし、画像検索であれば、その心配はほとんどありません。
　たとえば、「mountain heights」というキーワードで画像検索をすると、【図22-3】のような画面が表示されます。このようにビジュアルで表現されたグラフや表であれば、外国語が苦手でも辞書を片手に理解することができるでしょう。画像検索をすれば、世界中から適切なデータを探し出すことも容易

図 22-2　データは「画像」で検索する

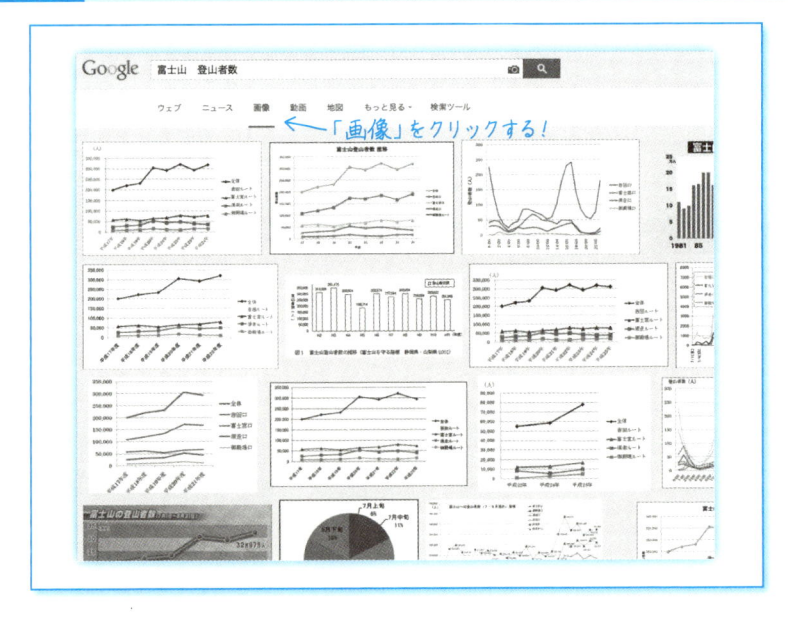

図 22-3　「画像検索」で外国語サイトも簡単に利用できる

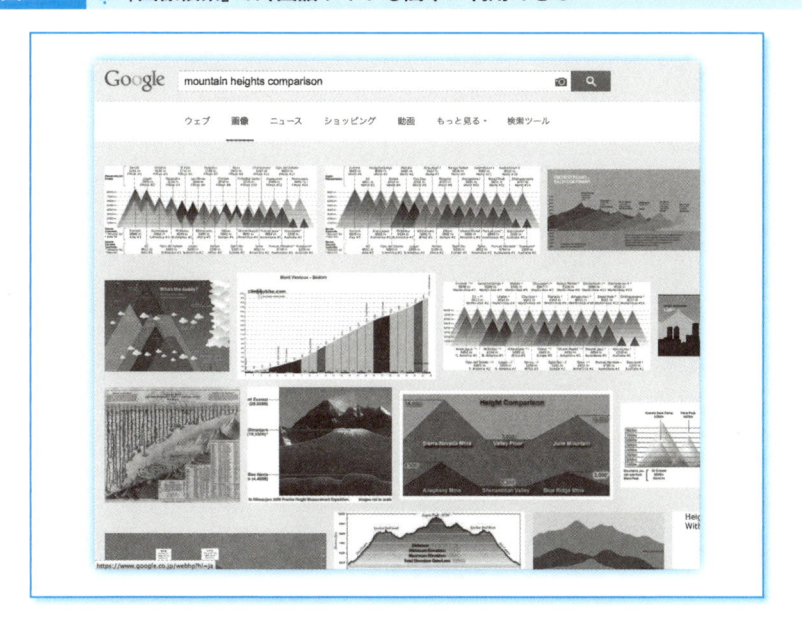

になるのです。

　このように、社内プレゼンに必要なデータを揃えるためには、「画像検索」が強い味方になってくれるのです。

第4章

決裁者の理解を助ける「ビジュアル」だけ使用する

Lesson 23 決裁者の理解を助ける「写真」だけ使用する

共感を得るための「写真」は逆効果

　社内プレゼンにおいて、ビジュアルは重要な要素です。
　しかし、勘違いをしてはいけません。社内プレゼンで求められるのは、見た目に美しい、カッコいいビジュアルではありません。
　大切なのは、決裁者がスライドを見た瞬間に「なるほど！」と納得してもらうこと。その一点のために、必要なビジュアルだけを活用するようにしてください。そして、理解を妨げるようなビジュアルは、いかに見栄えがよかったとしても排除する。それが、社内プレゼン資料のポイントです。

　また、ジョブズのプレゼンのように、聴衆の感情を揺さぶったり、インパクトを与えることを意図したビジュアルも不要です。たとえば、社員研修プログラムを提案するプレゼンをするとします。社外のクライアント向けにプレゼンする場合には、【図23-1】のようなスライドをつくって、営業相手の感情に訴えると効果的です。
　これは、ワンカラー効果を活用したスライド。疲れたビジネスマンの写真をモノクロにして、危機感を煽る赤字で「社員のモチベーション低下」などとテキストを配置することで、「そうなんだよ、ウチの社員も元気がないんだよなぁ……」などと共感を得ることができます。そして、営業相手をプレゼンに引き込む効果が期待できるわけです。

　しかし、自社の社員研修プログラムの改善を提案する社内プレゼンで、このようなスライドは必要ありません。なぜなら、決裁者はプレゼンに耳を傾けるつもりでその場にいるからです。プレゼンに引き込もうとする必要が、そもそもないのです。むしろ、このようなスライドを見せたら、「そんなことは

図 23-1　感情に訴えるビジュアルは不要

社員の
モチベーション
▼
低下

社内プレゼンで、
こうしたビジュアル・
スライドは不要！

いいから、さっさと本題に入れよ」と思われるだけ。決裁者は忙しく、限られた会議時間でいくつもの決裁をしなければなりません。プレゼンは最短距離で終わらせるのが鉄則。余計なビジュアルは、逆効果なのです。

「写真」で直感的に理解させる

　社内プレゼンで効果的なのは、決裁者の理解を助ける写真です。
【図23-2】をご覧ください。これは出版社の社内プレゼン資料。
　一方は「紙の書籍」の売上推移、もう一方は「電子書籍」の売上推移をまとめたものです。このような場合には、「紙の書籍」のスライドに書籍の写真を置き、「電子書籍」のスライドにはタブレットを置くと、いちいちテキストを読まなくても一目で理解できます。このようなケースで、写真を使用するのはきわめて効果的です。
　ただし、誤解を招いたり、余計なツッコミを生む恐れがあるときは、写真

図 23-2 ワンポイント・ビジュアルでわかりやすくなる

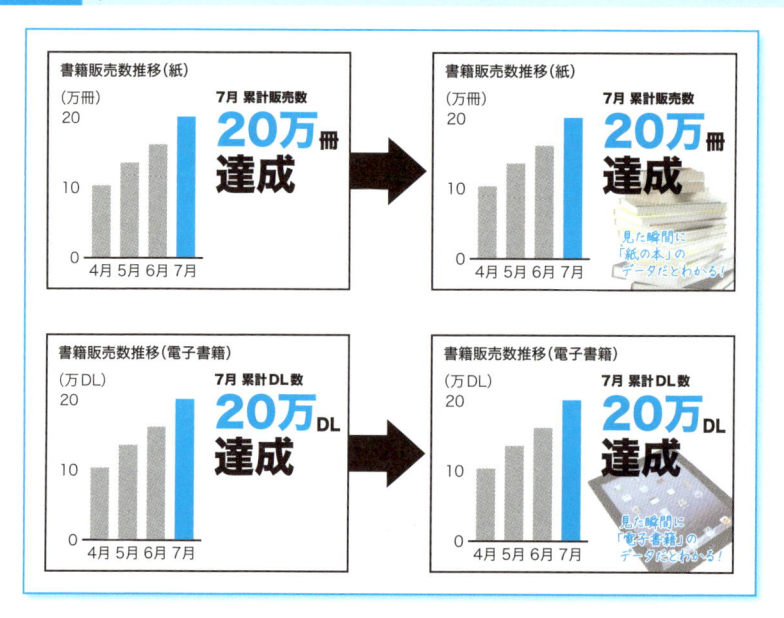

を使用しないほうがいいでしょう。たとえば、【図23-3】のように、「20代女性のデータ」に「20代とおぼしき女性」の写真を使い、「30代女性のデータ」に「30代とおぼしき女性」の写真を使うと、まぎらわしいだけ。このような場合には、写真は使わず、「20代女性」「30代女性」とテキストを大きく表示するほうが、よほど効果的です。

このように、社内プレゼン資料においては、写真を使用することに意味があるのではなく、あくまでも「わかりやすいこと」に意味があります。常に決裁者の立場に立って、「理解の助けになるか？」と自問しながら写真の使用不使用を判断するように心がけてください。

美形すぎるモデル写真はNG

さらに、写真使用で注意していただきたいことがあります。
まず、あまりに美形すぎるモデルは避けてください。なぜなら、あまりに

図 23-3 まぎらわしいビジュアルは使わない

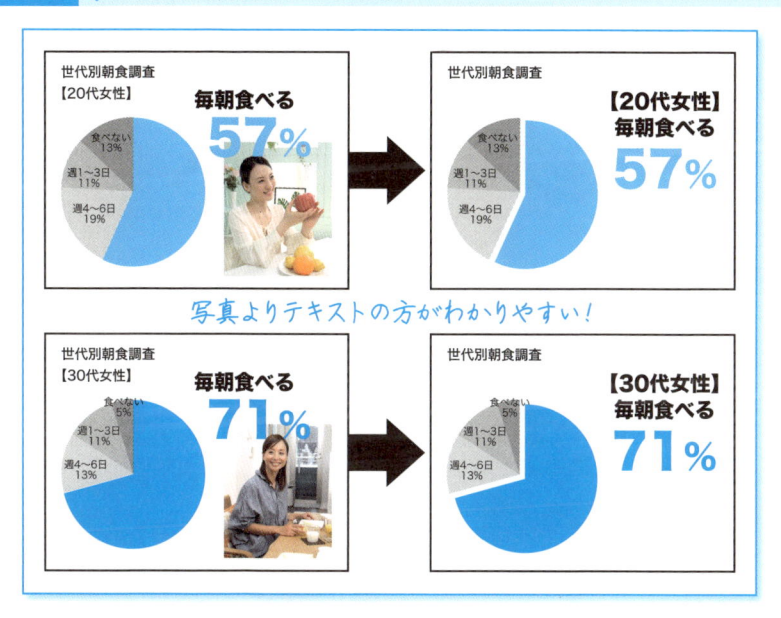

写真よりテキストの方がわかりやすい！

　美形すぎると、決裁者の目線がそこに集中してしまうからです。決裁者が女性の場合、あまりにイケメンなモデルだと同じことが起こりえます。冗談のような話ですが、決裁者の注意が本題からズレる恐れのあることは、極力避けるに越したことはありません。ですから、美形すぎるモデル写真は避けて、親しみのもてるモデルの写真を使うことをおすすめします。

　また、リアリティのある写真を使うように心がけてください。
　たとえば、国内企業において、見栄えがいいからと外国人モデルの写真を使うのはNG。リアリティがないため、スライドに説得力が生まれません。それどころか、「なんで外人なんだ？」と余計なツッコミを受けることもあるでしょう。国内企業の場合には、日本人モデルの写真を使うのが無難です。
　あるいは、サービス業の会社であれば、販売現場のイメージ写真を使用すると効果的なケースがありますが、ここでも、見栄えがいいからとモデル写真を使用するのは避けたほうがいいでしょう。それよりも、実際に現場で撮

図 23-4　スライドにイラストは使わない

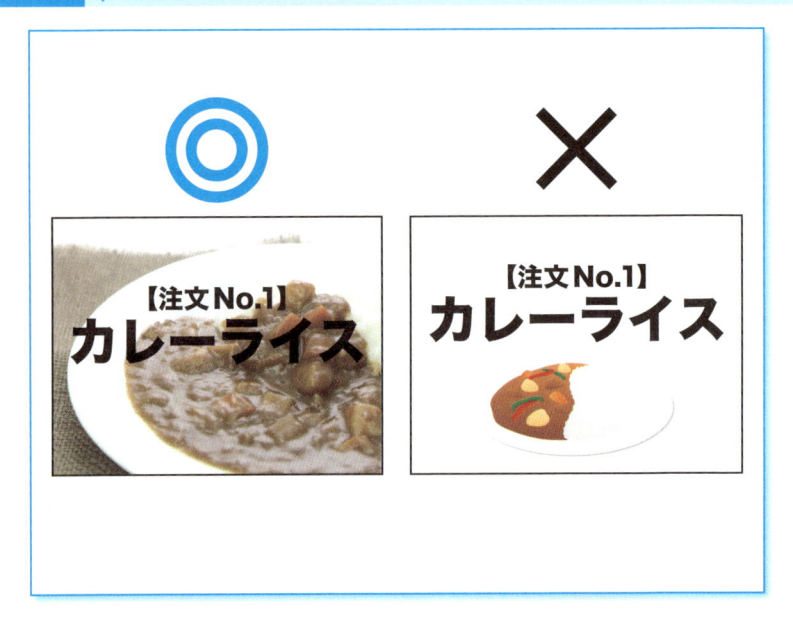

影したリアルな写真のほうが説得力がありますし、好感も得やすいはずです。

　同じ理由で、イラストの使用も極力避けてください。【図23-4】を見比べれば一目瞭然ですが、イラストを使うとどうしても幼稚でチープに見えてしまいます。イラストがあるだけでスライドの説得力が格段に下がってしまうのです。特に「クリップアート」は古臭い印象があるためNGです。

Lesson 24 「写真」の検索は画質重視

🔹「1000px×1000px」以上の画質を使う

　社内プレゼン資料に掲載する写真を、ネット検索で探すケースも多いと思います。

　このとき厄介なのが、ネット上には画質の悪い画像も大量に存在していること。イメージに合う写真だからと、画質の悪い写真を使うとプレゼンを台無しにしかねません。粗い画質の写真は、見る人に不快感を与えます。プレゼンそのものが、ヤッツケでつくった安っぽいものという印象を与えかねないのです。

　逆に、高画質でリアリティのある写真を探し出すことができれば、プレゼンをさらに効果的なものにすることができます。丁寧につくり込まれた資料という印象は、プレゼン内容そのものの信頼性を生み出すのです。

　ですから、写真などの画像を使う際には、必ず「1000px×1000px」以上の画質のものを使用するようにしてください。このサイズの画質であれば、全画面表示にも十分に耐えられます。

　そこで、効率的に高画質の画像を検索する方法をご紹介します。

　たとえば、富士山の画像を検索する場合、まず、Googleの検索窓に「富士山」と打ち込んで検索します。検索画面が表示されたら、検索窓の真下にある「画像」をクリック。すると、富士山の画像がズラッと並びます（図24-1）。

　しかし、この時点では「1000px×1000px」以下の画像も混ざっているため、さらに「画質」でソートしなければなりません。「検索ツール」を開くと「サイズ」のタブが表示されますから、これをクリック。デフォルトでは「すべてのサイズ」が選択されているので、これを「大」に設定します。こうすると、「1000px×1000px」以上の高画質の画像のみが表示されます。このなか

図 24-1 ▶ 画像は「大」で検索する

から、イメージに合う画像を見つけ出せばいいわけです。もちろん、使用する際に著作権等に十分配慮する必要があるのは、言うまでもないことです。

「顔」検索でほしい画像に最速でたどり着く

　Googleの「検索ツール」は使い勝手が非常にいいので、ぜひ使い倒してください。
　たとえば、「働いている女性」のアップの顔写真を使いたい場合には、まず、「働く女性」というキーワードで検索してから、「画像→サイズ→大」と進みます。ここで、「検索ツール」の「種類」を選択。そこに「顔」というタブがありますから、これをクリック。すると、仕事中の女性の顔の高画質写真がずらりと並びます。
　「検索ツール」の「色」のタグも使えます。
　社内プレゼンでの使用頻度は高くはありませんが、モノクロ写真はインパ

クトを与えるのに適した画像です。113ページでお見せしたように、モノクロ写真の上にワンカラーでテキストを置くと効果的。そのための素材を探したいときには、「検索ツール」の「色」のタブを開いて、「白黒」を選択するとモノクロの写真だけが表示されます。

　なお、Googleでの検索を効率化するためには、Lesson 9でご紹介した「一人ブレスト」の段階でキーワードのメモを残しておくことをおすすめします。自信を失っている男性サラリーマンの写真がほしければ「ビジネスマン　男性　悩み」など、育児に疲れた女性の写真がほしければ「主婦　育児　肩こり」などのキーワードをメモしておくのです。
　こうしておけば、スライドをつくっているときに、手を止めることなく一気呵成に作業を進めることができます。社内プレゼン資料づくりを効率化するためにも、やはり「準備」が大切なのです。

Lesson 25 アニメーションでロジックを強化する

アニメーションの多用は逆効果

　画面の切り替え、文字の挿入……。
　プレゼン・ソフトには何種類ものアニメーション機能が内臓されていますから、ついつい使ってしまいがちです。しかし、これらの演出のほとんどは、社内プレゼンには不要です。だから、「基本的には使わない」というスタンスでいるくらいがちょうどいいでしょう。

　たしかに、会社説明会や株主総会、営業プレゼン資料などでは、スマートなスライドの切り替えや面白い文字の動きなどのエフェクトを多用することで、聞き手の気をそらさず、インパクトを与えるために、アニメーションを活用する技術を磨く必要があるでしょう。
　しかし、決裁を取るための社内プレゼンでは、アニメーションの多用はNG。余計な演出は必要最低限にとどめて、最短距離で提案を終わらせるのが正解です。

　また、社内プレゼンでは、ディスカッションのときに「4ページ目の資料をもう一度見せて」などと言われることが多々あります。そのときに、該当スライドを表示する度に、オーバーなアニメーションでスライドの切り替えが行われたり、1つずつ文字やグラフを表示されたりすると、決裁者は完全に興醒め。「そんなところに労力をかける必要はない」とマイナス評価につながるだけです。
　めざすのは、シンプルでロジカルなプレゼン。そして、ディスカッションで深い議論をすることです。そのためには、余計なアニメーションは逆効果なのです。

決裁者の目線を確実に誘導する

　もちろん、アニメーションを使ってはならない、というわけではありません。決裁者の目線を誘導したり、理解を助けるために効果的な場合には使用すべきでしょう。
　ただし、社内プレゼンで使用していいアニメーションはきわめて限定的です。基本的には、この2種類だけを使うことをおすすめします。

〈使用できるアニメーション〉
●**Powerpoint：フェード**
●**Keynote：ディゾルブ**

　名称は違いますが、この2つは同じアニメーション。アニメーションの設定をかけたテキストやグラフが、フワッと表示される機能です。決裁者にインプットしたいテキストやグラフを強調するのに効果的なアニメーションです。過度なエフェクトではなく、自然な動きなので使い勝手のよい機能といえるでしょう。
　Powerpointでは「アニメーション」内の「開始効果」から、Keynoteでは「アニメーション」内の「イン」から選択します。Powerpointにも「ディゾルブ」という機能がありますが、まったく異なるアニメーションなので、ご注意ください。また、デバイスによって、同じ機能でもアニメーションの動きが変わることもあるので、必ず事前テストで確認するようにしてください。

　では、この機能をどこで使えばいいのでしょうか？
　84ページで触れたように、1枚のスライドのなかでアニメーションを活用することで、決裁者の目線を誘導するために使用するのが王道です。
　まずグラフだけを見せて、その後、グラフが意味することを表示し、さらに、「だから、こうすべき」というキーメッセージを見せるわけです（図16-6）。口頭で伝える内容とスライドに表示する内容を一致させることで、1つ

ずつ確実に決裁者の理解を得ることができます。あるいは、会議参加者全員の理解の進度を揃えることができるというメリットもあります。

これは、決裁者の理解を得るために有効なテクニックですから、ぜひとも、習得していただきたいと思います。

「変形」「マジックムーブ」で最強スライドにする

スライドの切り替えにアニメーションを活用するときも、「フェード」と「ディゾルブ」を基本としてください。Powerpointでは「画面切り替え」から「フェード」を、Keynoteでは「アニメーション」からトラジションで「エフェクト」を選ぶと、切り替えアニメーションの選択をすることができます。

スライド切り替え機能には、「さざ波」「渦巻き」など、動きが大きなアニメーションが用意されていますが、社内プレゼンでは「余計なもの」と決裁者に判断されるため逆効果。使用しないようにしてください。

1つだけ例外があります。

実は、「フェード」「ディゾルブ」以外に、1つだけ非常に使い勝手がいいものがあるのです。「変形」（Powerpoint Office365から）と「マジックムーブ」（Keynote）という機能です。

これらは、連続した2枚のスライドの間で同じテキストやグラフを使うときに、1枚目のスライド上の位置から2枚目のスライド上の新しい位置に移動したことを視認できるアニメーションです。

たとえば、【図25-1】のように、キーメッセージの一部を切り取って、次のスライドに動かし、そのテキストについて詳細説明を展開するときに活用します。1枚目のキーメッセージの一部が2枚目のスライドに移動したことを目で追うことができるので、決裁者は2枚のスライドの因果関係を直感的に理解しやすいわけです。

あるいは、【図25-2】のように、1枚目のスライドで3つのポイントを表示し、2枚目以降でそのポイントを1つずつ説明していくときにも有効です。決

図 25-1　「変形」「マジックムーブ」の使い方①

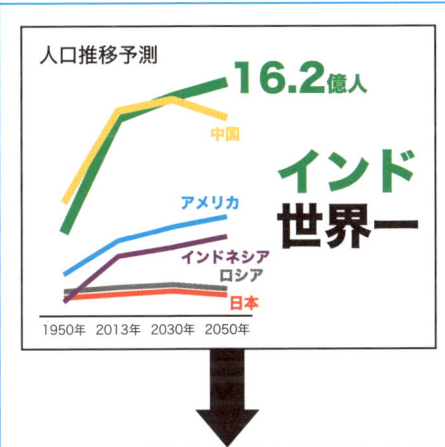

人口推移予測

16.2億人
インド世界一
中国
アメリカ
インドネシア
ロシア
日本

1950年　2013年　2030年　2050年

【トーク例】
「〇〇〇〇〇が発表した人口推移予測によると、2030年ごろにインドが中国を抜き世界一になるとされています」

↓

インド　インド　インド
アニメーションで移動

変形・マジックムーブで視線を誘導

↓

インド
1. 投資集中
2. 現地法人設立

【トーク例】
「そこで、今後、世界一の市場となるインドに投資を集中すること、そして現地法人を設立することをご提案します」

第4章　決裁者の理解を助ける「ビジュアル」だけ使用する　123

図 25-2 「変形」「マジックムーブ」の使い方 ②

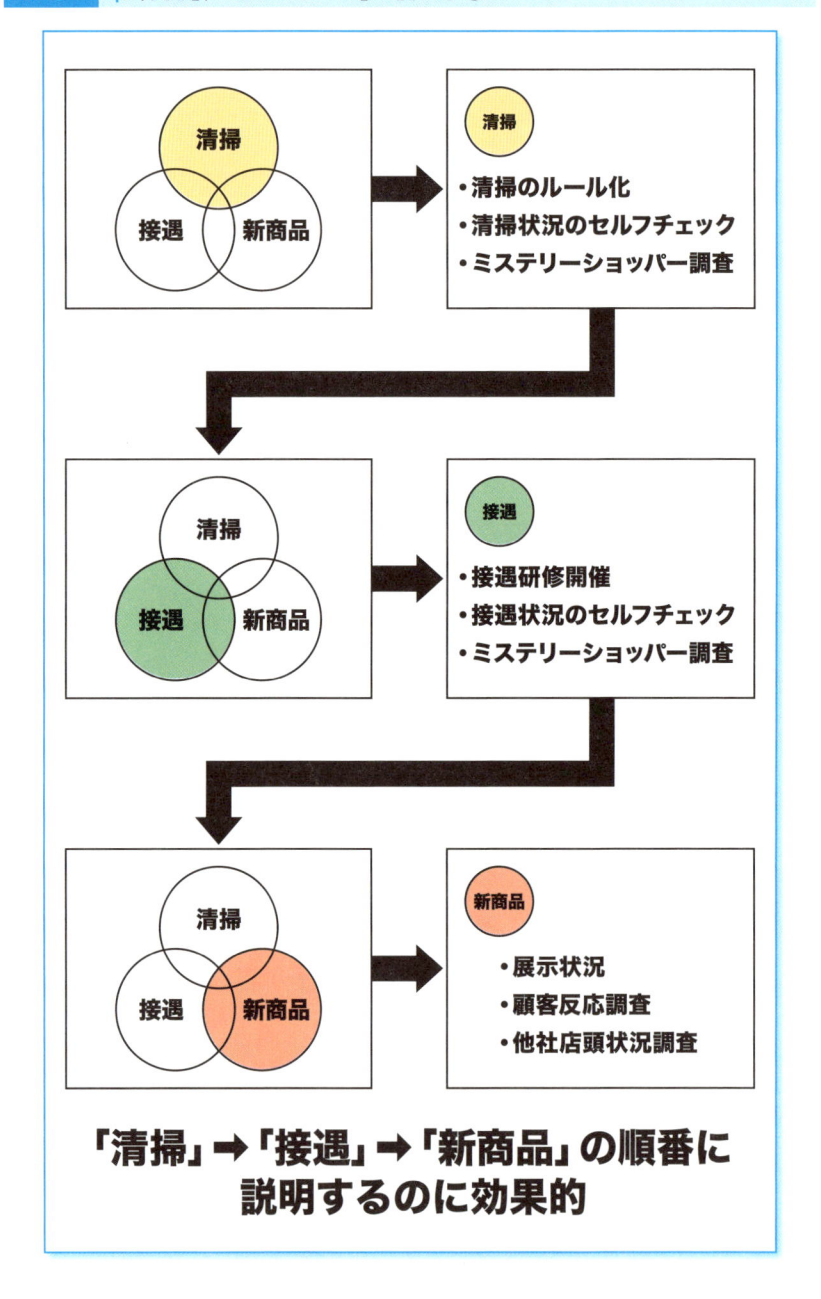

清掃
- 清掃のルール化
- 清掃状況のセルフチェック
- ミステリーショッパー調査

接遇
- 接遇研修開催
- 接遇状況のセルフチェック
- ミステリーショッパー調査

新商品
- 展示状況
- 顧客反応調査
- 他社店頭状況調査

「清掃」➡「接遇」➡「新商品」の順番に説明するのに効果的

裁者に3つのポイントを常に意識させつつ、「今、3つのポイントのうち、このポイントについて説明しています」ということを、わかりやすく表現することができるわけです。

　このように、「変形」「マジックムーブ」は、決裁者の理解を助ける、非常に優れたアニメーション機能なのです。

　ここまで、いくつかアニメーションのテクニックをお伝えしてきました。
　しかし、繰り返しになりますが、多用は禁物です。アニメーションを使う理由はただひとつ。決裁者の理解を助けるため、です。それとは無関係に、「なんとなくインパクトが出るから」「すごそうに見えるから」などという理由でアニメーションを使っても、かえって浅はかなプレゼンになるだけです。
　本来、プレゼン資料にアニメーションはいらないのです。適切なデータをもとに、きちんと練り上げたられたロジックが展開されていれば、アニメーションなどなくても決裁は取れます。むしろ、プレゼンの内容がきちんと詰め切れていないから、余計なアニメーションを使いたがる、というのが実情ではないでしょうか？
　ですから、5〜9枚のプレゼン資料でアニメーションを使うのは1か所、多くても2か所と考えておいてください。特に、新入社員などプレゼン経験の少ない人は、アニメーションは使わないという前提で資料づくりをすることをおすすめします。

第5章

100%の「説得力」をもつ資料に磨き上げる

Lesson 26 プレゼンの成否は「アペンディックス」で決まる

本編から落とした要素はアペンディックスへ

　本編スライドは、提案内容の骨太なロジックをシンプルに表現したものです。枝葉の部分は、あえて削ぎ落とすことによって、決裁者にわかりやすく伝えるのが社内プレゼンの鉄則です。

　そして、削ぎ落とした要素は、アペンディックスとして保持します。本編スライドでは提案の骨子だけを伝えているわけですから、決裁者や参加者にとっては、「確認したい点」や「補足説明を求めたい点」などが出てくるのが当然。その問いかけに適切に応えられるように、本編から落としたデータはすべてアペンディックスとして資料化し、いつでも取り出せるように準備しておく必要があります。提案内容の検討段階、そして、プレゼン資料作成の準備段階で集まったデータのなかで、決裁者から質問が飛んできそうなものは、すべて保持するようにしてください。

　実は、社内プレゼンの成否はアペンディックスにかかっていると言っても過言ではありません。
　なぜなら、決裁までたどり着けない原因のおよそ8割は、意思決定に必要な材料が足りないことにあるからです。
　もちろん、そもそも本編スライドがわかりにくかったり、説得力がなければ、その時点でアウトです。しかし、決裁者が、本編スライドに一定の手応えを感じたとしても、細部に対する疑問について適切な回答が返ってこなければ、「決め手にかける」「GOサインを出すには不安だ」と判断されてしまいます。だから、確実に採択されるためには、アペンディックスを万全に準備しておくことがきわめて重要なのです。

アペンディックスは最低限の加工でOK

ただし、アペンディックスのスライドは、本編スライドのようにつくり込む必要はありません。

基本的には、加工前の元データをそのまま貼り付けることで足りるでしょう。もちろん、アペンディックスのなかでも重要度が高く、ほぼ間違いなくプレゼン後のディスカッションで議論が集中しそうなスライドについては、短時間で理解できるようにある程度の加工をしたほうが無難です。しかし、すべてのアペンディックスを本編スライドのように加工しようとすれば、膨大な時間がかかりますから、基本的には元データに最低限のテキストを添えたり、カラー処理をする程度にとどめて問題ありません（図26-1）。

本編スライドとアペンディックスの関係性は、教科書と資料集の関係性に近いものです。アペンディックスは資料集ですから、加工にはそれほど手をかけなくてOK。むしろ、恣意的な編集を加えていない元データのほうが、資

図 26-1　アペンディックス用に簡易加工したスライド

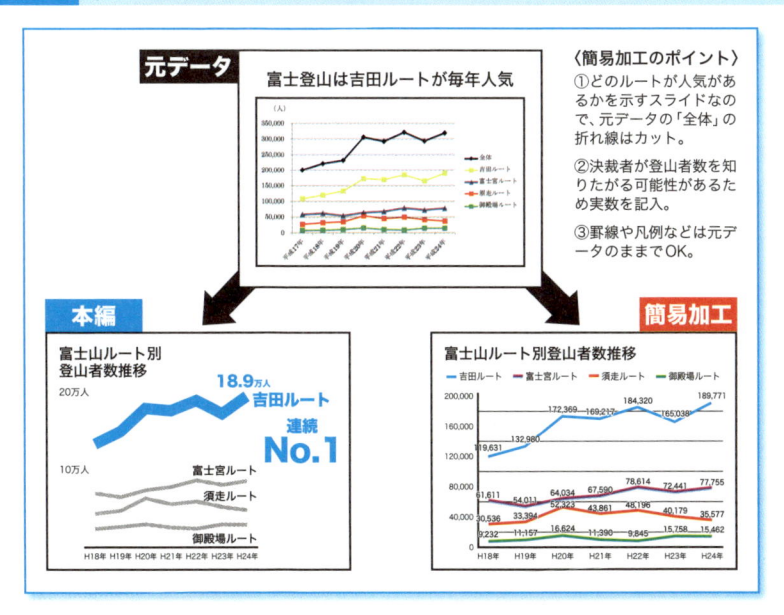

〈簡易加工のポイント〉
①どのルートが人気があるかを示すスライドなので、元データの「全体」の折れ線はカット。

②決裁者が登山者数を知りたがる可能性があるため実数を記入。

③罫線や凡例などは元データのままでOK。

図 26-2 本編用に加工した元データはそのままアペンディックスへ

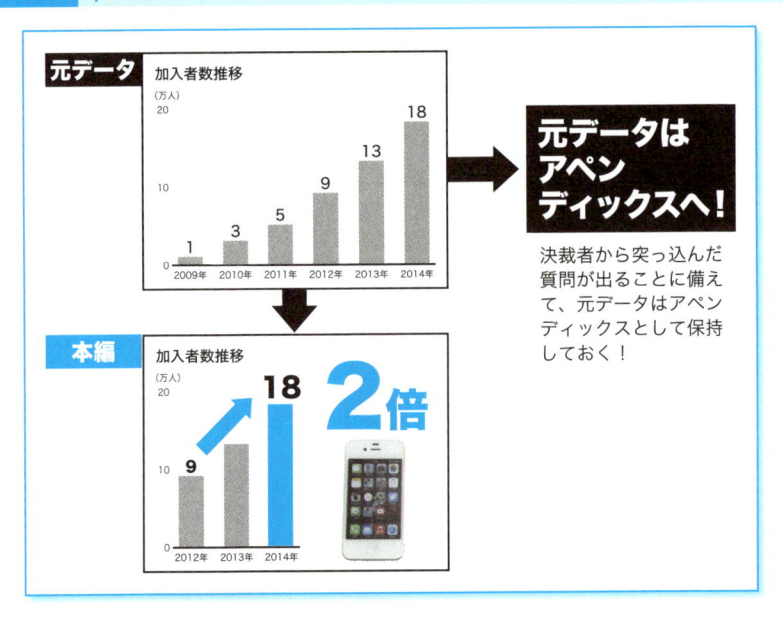

元データ
加入者数推移（万人）
2009年 1、2010年 3、2011年 5、2012年 9、2013年 13、2014年 18

元データはアペンディックスへ！
決裁者から突っ込んだ質問が出ることに備えて、元データはアペンディックスとして保持しておく！

本編
加入者数推移（万人）
2012年 9、2013年、2014年 18　2倍

料集としての信憑性(しんぴょうせい)は高まるのです。ですから、アペンディックスの加工に時間を使うよりも、どんなツッコミにも応えられるように、「数」を揃えることに力を注いだほうがよいでしょう。

　また、本編スライドで加工した元データは、必ず、そのままアペンディックスとしてもっておくようにしてください。たとえば、「昨年度からサービス加入者が2倍になった」ことを示すために、社内で用意されていた過去5年間の加入者の推移を示した元データを、直近2年間のグラフに加工したとします。提案内容を伝えるためには、直近2年間の数字さえ押さえればよくても、決裁者は「過去5年間の推移が見たい」と言い出すかもしれません。アペンディックスに元データを保持しておけば、そのような事態にも対応することができます（図26-2）。

　本編スライドは、一目でわかるように、要点以外の要素は徹底的に取り除きます。だからこそ、元データをいつでも取り出せるようにしておくことが大切なのです。

Lesson 27 「想定FAQ」でアペンディックスを完璧に整える

決裁者の目線でスライドを懐疑的に見つめる

　Lesson 26でご説明したように、アペンディックスには、本編スライドから落としたデータと本編スライドで加工した元データを入れることが不可欠です。しかし、これは最低限の準備。重要なのは、ここからです。

　アペンディックスの役割は、決裁者の疑問に答えることにあります。ですから、考えうる限りのありとあらゆる疑問に答えられるように、万全の準備をしなければなりません。本編スライドは「5〜9枚」に収めなければなりませんが、アペンディックスに数の上限はありません。30枚あっても100枚あっても構わないのです。むしろ、「これだけあれば絶対に大丈夫」という絶対的なラインがないために、どんなに準備をしても安心しきれないとも言えます。

　では、アペンディックスを完璧に近づけるためには、どうすればいいのでしょうか？

　本編スライドを徹底的に「疑い」ながら検証することです。「ここについて、疑問が出るかもしれない」「ここの詳細をたださされるかもしれない」などと、自分で本編スライドにツッコミを入れるのです。そして、そのツッコミに応えられるようにアペンディックスを用意していきます。いわば、「想定FAQ」をつくっていくわけです。

　心がけていただきたいのは、決裁者の目線で本編スライドを見つめることです。決裁者は、常に「なぜ？」という疑問をもちながらスライドを見ています。その「なぜ？」を意識しながら、スライドを詳細に検証していくようにしてください。

グラフの「異常値」を見逃さない

たとえば、本編に【図27-1】のようなスライドがあったとします。

自社とライバル会社のシェアの推移を示したうえで、C社から離脱したユーザーを取り込んでいることが、B社のシェア急拡大の要因であることを説明しているわけです。

ここで想定されるツッコミは、「なぜ、当社はC社からのシェアを奪えないのか？（なぜ、B社だけがシェアを奪っているのか？）」といったことです。そこで、【図27-1】のようなアペンディックスを用意することによって、その根拠を明示できなければ、決裁者は納得してくれないでしょう。

しかし、私ならば、これだけでは不十分だと考えます。

【図27-1】のB社の折れ線グラフをよく見てください。9月ごろにユーザーが急増しているのがわかりますよね？　おそらく目ざとい決裁者であれば、この「異常値」を見逃しません。「なぜ、9月にB社が急増してるんだ？」とい

図 27-1　「想定FAQ」をもとにアペンディックスを充実させる ①

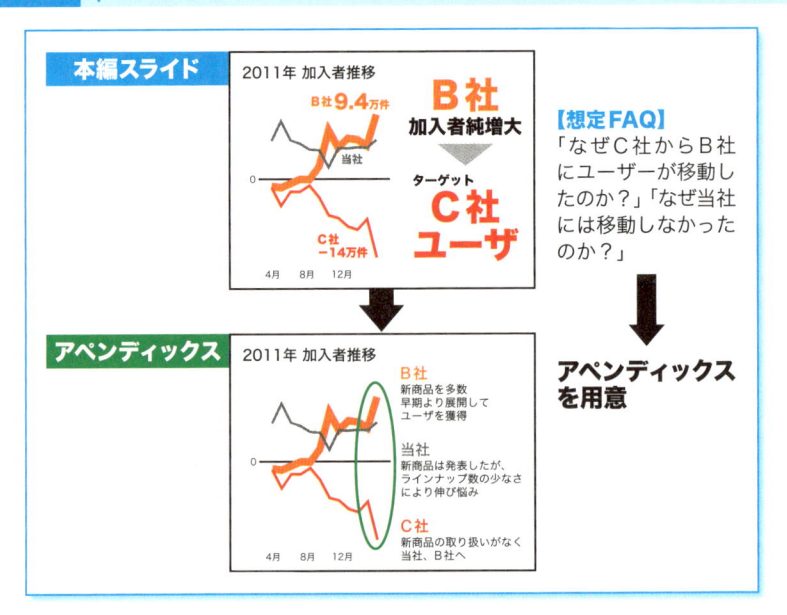

図 27-2 ▶ 「異常値」について説明するアペンディックス

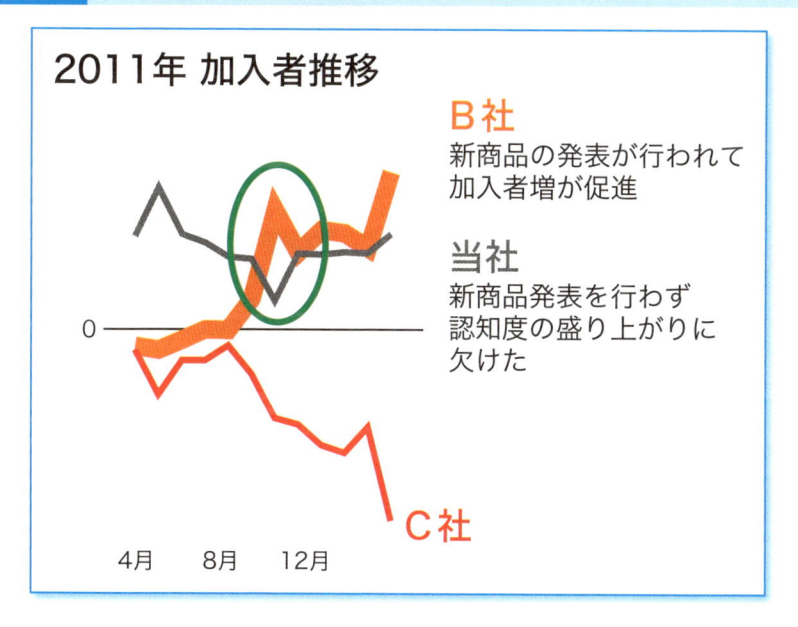

2011年 加入者推移

B社
新商品の発表が行われて
加入者増が促進

当社
新商品発表を行わず
認知度の盛り上がりに
欠けた

C社

4月　8月　12月

うツッコミに対する備えをしておくべきなのです（図27-2）。もしも、ここで明確に答えられれば、決裁者は「相当深く検討したうえで、このプレゼンをやっているんだな」と信頼感と安心感をもってくれるはずです。GOサインへ大きく前進できるに違いありません。

あるいは、【図27-3】をご覧ください。
これは、携帯電話を販売している会社が、ライバル会社よりも「新規契約」の比率が少ないことを示す本編スライドです。「新規契約」を増やす施策を打つべきだ、ということを訴えたいわけです。
ここでは、「過去の推移はどうか？」などといったツッコミが予測されますから、それに対応するアペンディックス①を用意します。
私ならば、さらに「比率ではなく、実数だとどちらが多いか？」といったツッコミを予測して、アペンディックス②を用意するでしょう。
このように、ありとあらゆるツッコミを予測して、それに備えてアペンデ

第5章　100%の「説得力」をもつ資料に磨き上げる

図 27-3　「想定FAQ」をもとにアペンディックスを充実させる ②

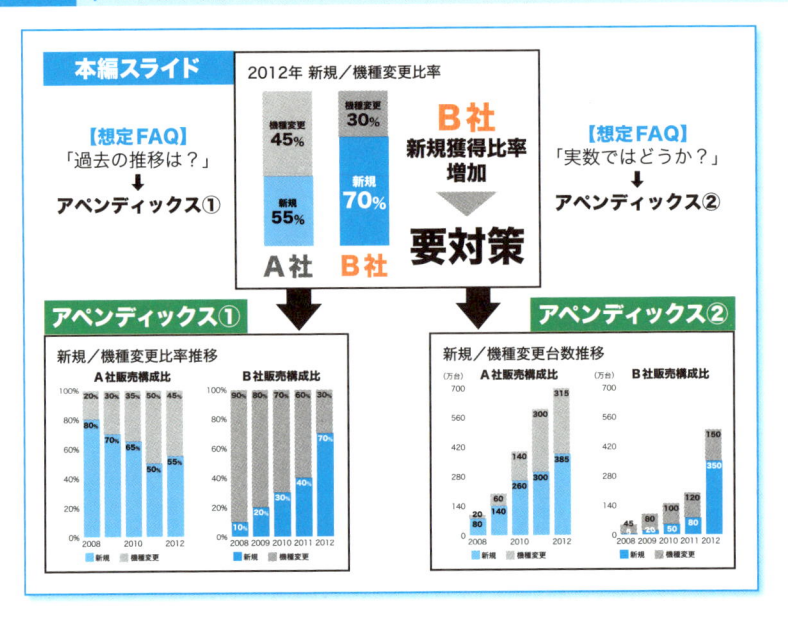

ィックスを1つひとつ積み上げていく。これが、採択率を高める鉄則です。

　もちろん、自分ひとりだけでは必ず「抜け漏れ」が生じます。だから、必ず、上司や先輩など、あなたより経験豊富な人にツッコミを入れてもらうことをおすすめします。それで、必要なアペンディックスをかなり網羅できるとともに、自分のなかでプレゼンに対する自信が芽生えてくるのが実感できるはずです。この自信を感じられるようになれば、アペンディックスが完成したことのサインと言ってもいいでしょう。

Lesson 28 プレゼン資料はトリプルチェックを受ける

● 完成した資料は、最低1日は寝かせる

　プレゼン資料は、必ずプレゼン当日から少なくとも2日前には、いったん完成させるようにしてください。

　なぜなら、どんなに練り上げた資料でも、少し間を置いて見直すと必ずミスや改善点が見つかるからです。それを放置したまま本番を迎えると、思わぬツッコミを受けて立ち往生してしまうことがありますから要注意です。

　私も、かつてアペンディックスに入れたデータの桁を1つ間違えているのを見落としていたために、再提案を余儀なくされたことがあります。「桁の間違いなど些細なこと。口頭で修正すればいいのでは？」などと考えてはなりません。決裁者は自らの責任で、それなりの金額（ときには巨額）の投資を伴う決断を迫られているのです。ほんの小さなミスでも、そのプレゼンに対する決裁者の信頼を失わせるには十分。そのような事態を招かないためには、細心の注意をもって、最後の仕上げをしなければならないのです。

　では、なぜ2日前なのか？
　最低でも、まる1日は完成した資料を"寝かせて"ほしいからです。
　資料をつくり込む過程では、何度も同じスライドやデータ、テキストを目にします。その結果、資料に見慣れることによって、基本的なミスにすら気付けなくなってしまうのです。
　また、資料をつくり込んでいる真っ最中は、どうしても「つくり手目線」になってしまいます。いかに「決裁者目線」を心がけていても、「これを伝えたい」「こう見せたい」という意識が前に立ってしまうのです。そのため、決裁者にとって、わかりづらい資料になりがちです。
　だからこそ、最低1日は"寝かせて"ほしいのです。その資料のことを、一

度忘れるくらいでちょうどいいです。そして、はじめてその資料を見るような気持ちで、もう一度資料と向き合ってみてください。きっと、初歩的なミスが見つかり、決裁者目線に立てばわかりづらい表現があることに気づくはずです。それを、すべて修正して、完璧に磨き上げてから本番に臨むようにしてください。

【図28-1】は、その際のチェックポイントをまとめたものです。「数字のチェック」「誤植のチェック」「キーメッセージが13字を超過していないか」「同じ単語がスライド内で重複していないか」など、すべての項目をチェックするように心がけてください。

必ずスライドを実写で確認する

チェックする際の注意点が2つあります。

第1に、必ずスライドを実写で確認するようにしてください。

なかには、パソコン画面上でのみチェックする人もいますが、あくまでも、実際に決裁者がスライドを見るのはスクリーン上です。それと同じ状況で、スライドをチェックしなければ、見落とすことがあるので要注意です。

実際に会議が行われる場所で実写するのがベスト。できれば、決裁者が座る椅子に腰かけて、スライドをチェックするようにしてください。それが不可能であれば、空いている会議室でも構いません。その場合は、スライドと決裁者の位置を実際の会議室に近づけて行うようにしてください。

すると、十分に大きなフォントで表示していたつもりのキーメッセージが、意外と小さく見えることに気づいたり、グラフが思った以上に複雑に見えることに気づくことがあります。

また、実際にスライドを操作しながら、本番でのトークを実演するようにしてください。スライドを使いながら話してみると、「このテキストはトークでカバーできるからカットしてよさそうだ」「このアニメーションはまどろっこしい」などということに気づくからです。

もちろん、時間測定も行います。できれば3分、長くても5分で終わるかをチェックするのです。長いようであれば、余計なトークをどんどん省いて

図 28-1　チェックシート

キーメッセージ
- ☐ 13文字
- ☐ フォント
- ☐ フォントサイズ
- ☐ シグナル効果（ポジティブ青、ネガティブ赤）
- ☐ 同じ単語が重複していないか
- ☐ 誤植はないか

グラフ
- ☐ 10秒で理解できるか
- ☐ 数字の誤りはないか
- ☐ 左グラフ右キーメッセージ
- ☐ 一番理解して頂きたい数字のサイズ
- ☐ 強調したい箇所の棒グラフの色
- ☐ 強調したい折れ線の太さ
- ☐ ビジュアルは適切か

流れ
- ☐ 課題➡原因➡解決策➡効果
- ☐ 1分バージョン
- ☐ グラフとメッセージに整合性があるか
- ☐ 判断材料はスライド内に盛り込まれているか
- ☐ 「2案」を提示できないか

アペンディックス
- ☐ 判断材料
  - ☐ 本編スライドの詳細データ
  - ☐ その他の各種データ
  - ☐ 過去の類似データ
  - ☐ 他社データ
  - ☐ 海外事例
  - ☐ 予算の妥当性
  - ☐ 予測の妥当性
  - ☐ ニーズデータ
  - ☐ アンケートデータ
  - ☐ 最新動向
- ☐ FAQ

いきます。何度かトライするうちに、スライドの動きとトークがうまく馴染んで、スムーズでわかりやすいプレゼンができるようになるはずです。

トリプルチェックで「味方」を増やす

　第2に、必ず第三者のチェックを受けるようにしてください。

　自分ひとりだけでチェックすると、必ず盲点があります。だから、絶対に「違う目」でチェックしなければなりません。第三者は、より「決裁者目線」に近い視点もっていますから、スライドの問題点が明確に見えます。最低でも、自分も含めて3名のチェック、つまりトリプルチェックを受けることをおすすめします。

　特に、上司や先輩のチェックは必須です。細かい数字のチェックなどはもちろん、「10秒以内に正しく理解できるグラフになっているか」「グラフから導き出した結論に無理がないか」などの指摘をしてもらいます。あなたが思いもよらなかったツッコミをしてもらえるかもしれません。彼らは、あなたよりも業務経験も豊富で、決裁者がスライドのどこを気にするかといったこともよく把握しています。その知恵を借りない手はないのです。

　また、他部署のスタッフにチェックしてもらうのも重要なポイントです。たとえば、数字については、管理会計部門のスタッフに確認してもらうといいでしょう。あるいは、営業部門に対して影響のある販売促進プログラムの提案であれば、営業部門のスタッフにスライドをチェックしてもらえば、不適切な表現などを洗い出すこともできるはずです。

　Lesson 9で説明した資料作成前の他部署とのブレストに加えて、仕上げの段階で再度、他部署のチェックを受けて承認を得ておけば、プレゼンの場でも確実に味方になってくれるはずです。その意味でも、このプロセスは採択率を高めるために、きわめて重要なのです。

Lesson 29 決裁者の特徴に合わせてスライドをアレンジする

ハーマンモデルで「決裁者」を見極める

プレゼン資料の仕上げの段階で、もうひとつ大切なことがあります。

それは、改めて「決裁者がどんな人物か？」を確認することです。

数字に強くて論理的な人物なのか？　新しいものが好きで感覚的に物事をとらえる傾向がある人物なのか？　それによって、資料の「見せ方」が異なってくるからです。

そこで、仕上げの段階で、決裁者の特性に合わせて、もう一度スライドをチェックするのです。もちろん、プレゼンのストーリーを入れ替えるような"大工事"をするわけではありません。たとえば、数字に強い決裁者であれば、アペンディックスに入れた詳細グラフを本編スライドで見せる。感性を重視する決裁者であれば、よりインパクトのあるキーメッセージを再考する。このように、決裁者に合わせてマイナー・チェンジをするわけです。

ここで参考になるのが、ハーマンモデルです。

ハーマンモデルとは、大脳生理学の研究成果をもとにGEの能力開発センター所長であったネッド・ハーマンが開発した「人間の思考行動特性のモデル」のこと。人間には「利き腕」や「利き目」があるように「利き脳」があり、【図29-1】のように「論理型」「堅実型」「独創型」「感覚型」の４つの思考行動特性に大きく分類できるという考え方です。

私は、決裁者のタイプをハーマンモデルにあてはめることで、その特性を明確にするようにしてきました。もちろん、人間は単純ではありませんから、「この人はこのタイプ」と綺麗に分類できるわけではありません。堅実かつ論理的な人もいれば、独創的だけど論理的な人もいます。「この人は、このタイプの傾向が強い」などと、あくまで目安として活用します。決裁者の特性を

第5章　100%の「説得力」をもつ資料に磨き上げる

漠然と考えるよりも、スライドをどのようにアレンジすべきかをクリアにすることができるのです。

決裁者4タイプの「傾向」と「対策」

ハーマンモデルのどのタイプにあてはまるか？

正しく判断するためには、あなたが決裁者をよく観察することがいちばん重要です。ハーマンモデルのなかで、「どのタイプの傾向が強いか？」というフレームで観察すれば、だんだんとその人物の特性が見えてくるはずです。

あるいは、決裁者を古くから知っている上司や先輩の話を参考にするのもいいでしょう。さらに、私がよく参考にしたのが、決裁者のキャリアです。人間の思考行動特性は、その人が経験してきた仕事や部署、現在所属している部署によって特徴づけられる傾向があるからです。もちろん、必ず当てはまるわけではありませんが、ひとつの目安として有効です。

図29-1　ハーマンモデルの4タイプ

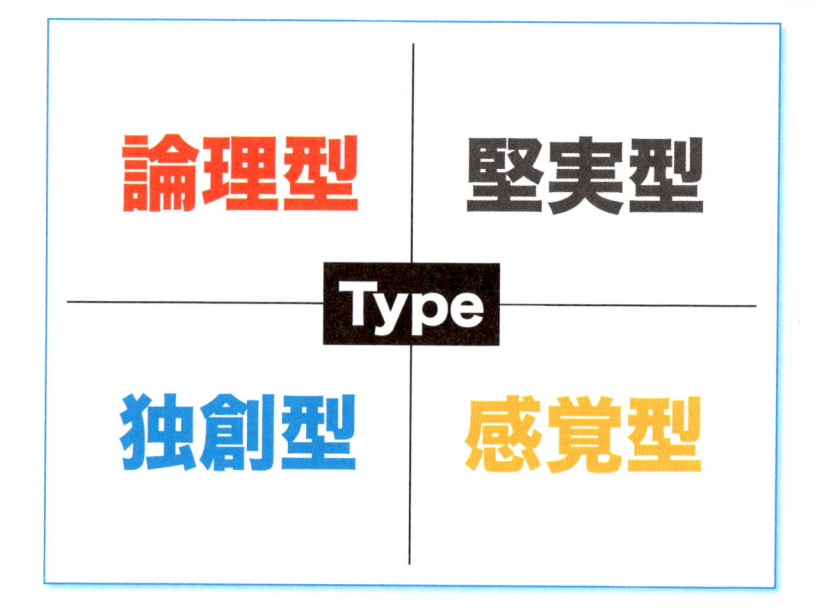

論理型	堅実型
独創型	感覚型

（中央：Type）

そこで、以下に、4つのタイプごとに、「決裁者の特性」「その傾向の強い部署」「スライドのチェックポイント」をご紹介します。ぜひ、参考にしながらスライドをブラッシュアップしてください。

①「論理型」の決裁者

経営企画、管理会計、マーケティング、技術、システムなどの部門でキャリアを積んできた決裁者に多いのが「論理型」。

彼らは、「ツメに甘さはあるが、面白そうな提案だ」などとGOサインを出すことはありません。ロジックを完璧に納得できなければ認めてくれません。だから、プレゼンのロジックが首尾一貫しているか、説得力があるかを再度、入念にチェックするようにしてください。

アペンディックスに「抜け漏れ」がないかも重要です。社内プレゼン資料は「5〜9枚」が原則ですから、骨太なロジックしか表現することができません。そのため、論理型の決裁者は、ロジックの"隙間"を埋めるために、あらゆる角度からツッコミを入れてきます。これに、適切に応えられなければ却下されてしまいます。

場合によっては、アペンディックスに入れた詳細グラフを本編に戻したほうがいいこともあります。複雑なグラフですから少々見にくいですが、論理型は数字に強いので苦もなく読み解いてくれることもあります。そのような決裁者であれば、はじめから詳細グラフを見せたほうが無難かもしれません。

また、彼らは、データなどの客観的な事実を重視しますから、数字の間違いは絶対にアウト。それだけで、突き返されるでしょう。だから、数字のチェックは念にも念を入れて行うようにしてください。

②「堅実型」の決裁者

「堅実型」は、カスタマーサービスやコールセンターなどの顧客対応部門、技術・システム部門の経験者に多いタイプです。

彼らは、計画性や実現可能性、プロセスを重視する傾向があります。そのため、提案自体はロジカルで説得力があっても、現場のオペレーションやスケジュールに現実性があることに納得できなければ、なかなかGOサインを出しません。

そこで、現場で実施したシミュレーション結果を本編スライドに入れるこ

とで、実現可能性は検証済であることをアピールすることも考えたほうがいいでしょう。あるいは、他部署の事業との兼ね合いも考慮したうえで、実現性の高いスケジュールを組んでいることが一目でわかるように、スライドにアレンジを加えたほうがいいかもしれません（図29-2参照）。

特に、前例のない斬新な提案の場合、「堅実型」はきわめて慎重な判断をする傾向があります。そのため、実現可能性の高さをアピールするアペンディックスをしっかりと用意することをおすすめします。

また、「堅実型」はプロセスを重視しますから、プレゼンそのものも「今、何の話をしているのか？」をわかりやすくしておく方がいいでしょう。そのため、スライドとスライドの間に、「次のトピックはこれです」ということを明示する「ブリッジ・スライド」を丁寧に入れることをおすすめします。

③「独創型」の決裁者

「独創型」が多いのは、広告、デザイン、営業などのキャリアをもつ決裁者。

彼らは、イノベーティブな新しい提案を好む傾向があるので、それに該当

図 29-2　全社スケジュールを織り込んだスケジュール・スライド

スケジュール

アクション	時期	本日	2日	3日	4日	5日	6日	7日	2週目	3週目
施策概要確定	○月×日	確定								
準備	△月×日～△月□日			契約						
	△月×日～△月□日			ディスプレイ準備						
	△月×日～△月□日				オペレーションチェック			プレ		
施策実施	△月×日～△月□日								実施	
効果検証	△月○日									検証

全社スケジュール ← 全社スケジュールもスライドに入れる！

アクション	時期	本日	2日	3日	4日	5日	6日	7日	2週目	3週目
顧客DM	○月×日			■						
CM開始	△月×日～△月□日								■	
キャンペーン	△月○日									■

する提案であれば「業界初」「社内初」など、「初」を強調すると効果的です。もちろん、「初」であることを示すアペンディックスを用意することを忘れないでください。

　また、ロジックを軽視することはありませんが、それ以上にビジョンやストーリーを重視する傾向があります。そのため、データは必要最小限にとどめて、提案する事業に込めた「想い」、その提案を実施した結果として生み出される「価値」などを、ビジュアルを使って表現するスライドを用意すると効果的なケースもあります。

　彼らには、物事の把握の仕方にも特徴があります。細部を積み重ねて全体を理解するのではなく、まず最初に「要するにどういうことか？」と全体を大づかみにしたいという欲求が強いのです。そのため、プレゼンのスライドも、その特性を意識してアレンジすることをおすすめします。

　たとえば、冒頭でプレゼン全体の流れがつかめるブリッジ・スライドを用意するといいでしょう。そして、全体感を決裁者と共有したうえで、詳細の説明に入るのです。

④「感覚型」の決裁者

　営業経験者に多いのが「感覚型」です。

　彼らは、人間関係や他部署との関係を重んじる傾向があります。そのため、提案内容の是非はもちろん重要ですが、それとともに、「きちんと関係部署の了解が得られているか」「根回しができているか」「反対者がいないか」を気にかけています。

　この場合、スライドのアレンジを検討するよりも、「他部署とのコンセンサスがきちんと取れている」ことを口頭で強調すればいいでしょう。あるいは、「上層部から太鼓判を押されている」ことをさりげなく伝えるのも効果的です。そのためにも、企画の段階、プレゼン資料作成の段階など、折に触れて関係部署のキーマンや上層部とコミュニケーションをとっておくことが重要なのです。

　ここまで、4つのハーマンモデルについてご説明してきました。

　大企業の社内プレゼンは通常、課長、部長、役員、経営者と、ステップご

とに異なる決裁者を相手にプレゼンします。課長は「感覚型」で、部長は「独創型」、役員は「論理型」とハーマンモデルも異なりますから、その都度、スライドにアレンジを加えていくようにしてください。

　ちなみに、一般的に上層部になればなるほど「論理型」が増えますから、順次、アペンディックスを補強するとともに、本編のロジックを強化しておくことを心がけるといいでしょう。

　なお、ここでご紹介した内容はあくまで目安です。参考にしていただきつつ、ご自分で試行錯誤しながら、決裁者の特性に合わせたスライド・アレンジの技術を磨いていただきたいと思います。

Lesson 30 「1分バージョン」も用意しておく

1分バージョンは「解決策」→「効果」→「原因」

　プレゼン資料は5～9枚でまとめ、3～5分で終わらせるのが基本。ですから、まず5～9枚のスライドを完成させるのですが、それで作業を終えてはなりません。必ず、「1分バージョン」も用意するようにしてください。

　会議では何が起きるかわかりません。決裁者に重要な案件が発生して、途中で会議を抜けなければならないこともあり得ます。あるいは、前のプレゼンで議論が白熱して時間がかかってしまったために、あなたの持ち時間が減ることもあります。ですから、「時間がないから手短に」と指示されたときに対応できるように準備しておくべきなのです。

　では、どうすれば1分に縮められるか？
　「5～9枚」にする過程で、すでにプレゼンのロジックは骨太なものに磨き上げられているはずです。それを、さらに簡素化するのはきわめて難しいと感じられるかもしれません。
　しかし、やり方があります。
　プレゼンのストーリーをひっくり返すのです。
　どういうことか？
　【図30-1】の「3～5分のストーリー」をご覧ください。これは、Lesson 4でご説明した社内プレゼン唯一のストーリーです。「課題（どんな課題があるのか？）」→「原因（その課題が生まれる原因は何か？）」→「解決策（その原因を解消する具体策の提案）」→「効果（提案内容を実施した場合の効果予測）」の順にスライドを並べるわけです。これは、順を追ってロジックが展開されるため、非常にわかりやすいストーリーです。しかし、この4つのステップを1分で展開するのは困難です。

第5章　100%の「説得力」をもつ資料に磨き上げる

図30-1　「3〜5分バージョン」のストーリーと「1分バージョン」のストーリー

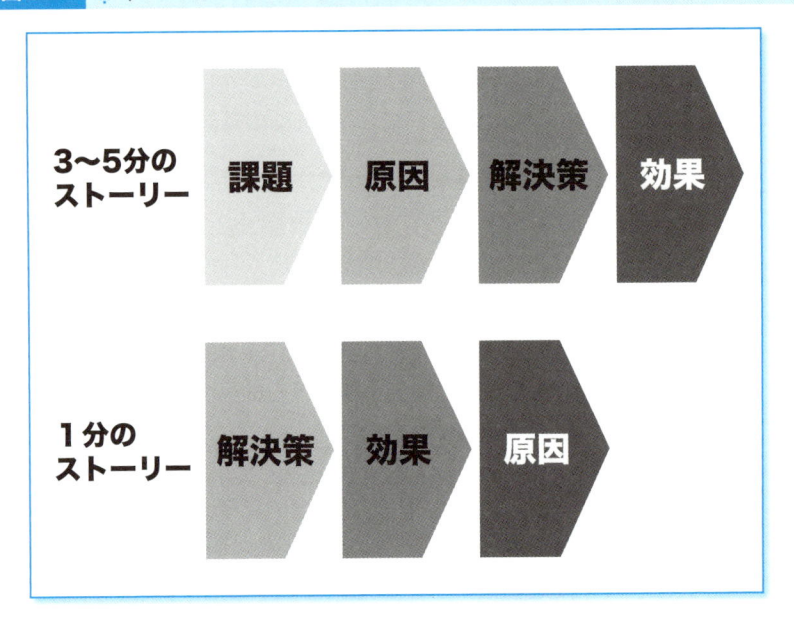

3〜5分のストーリー：課題 → 原因 → 解決策 → 効果

1分のストーリー：解決策 → 効果 → 原因

　そこで、【図30-1】の「1分ストーリー」に並べ替えます。まず最初に「解決策」と「効果を含む概要」を提示。そして、その提案の根拠となる「原因」を説明するのです。つまり、ストーリーをひっくり返して「解決策」の提案から始めて、その根拠と実施計画だけを示すわけです。これならば、1分で話し終えることは可能です。
　もちろん、1分バージョンでは、どうしても説明不足になりますから、ツッコミどころは増えますが、それを恐れてはなりません。とにかく、決裁者に絶対にインプットしなければならないポイントだけを伝えることに徹するのです。

「現状報告」をミニマムにする

　具体的なケースで、1分バージョンをつくってみましょう。
　Lesson 5の来客数が減った小売企業のケースで考えてみます。図5-3（34〜

図 30-2　1分バージョンのイメージ

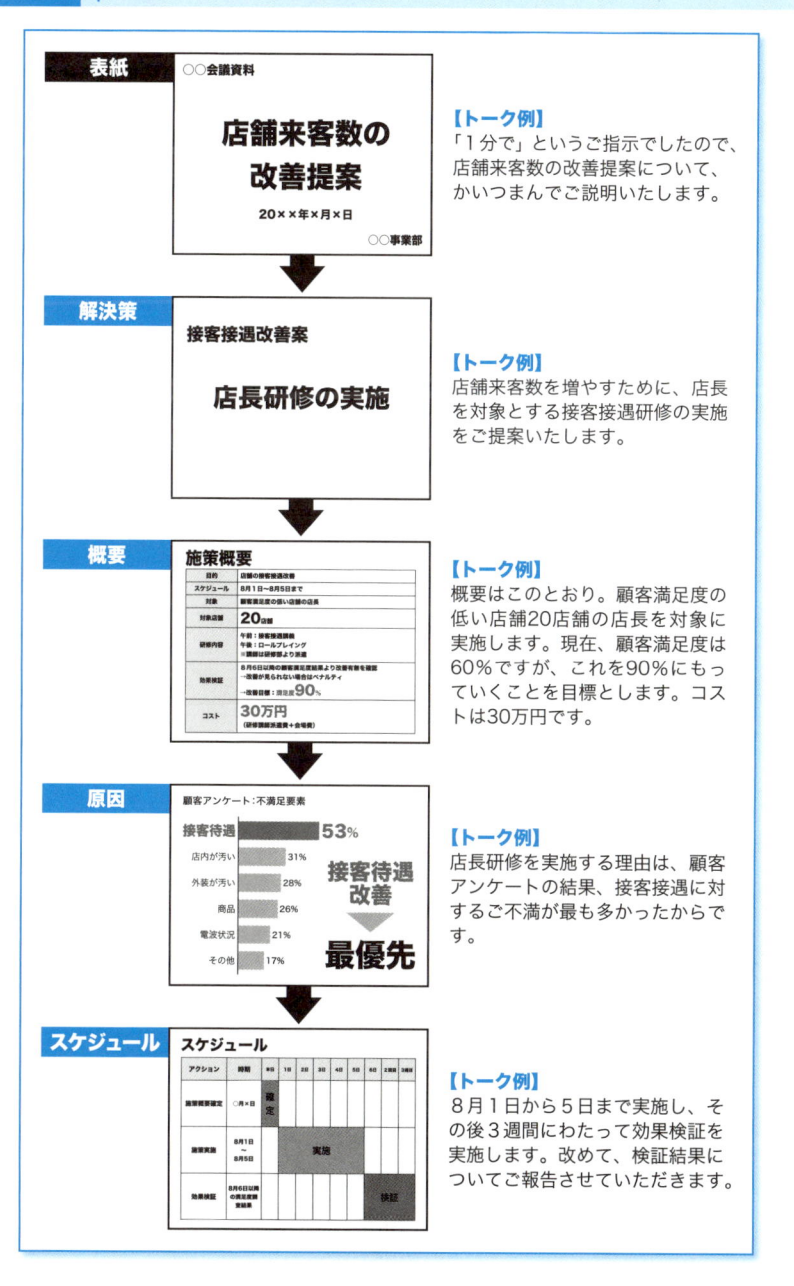

表紙
○○会議資料

店舗来客数の改善提案

20××年×月×日

○○事業部

【トーク例】
「1分で」というご指示でしたので、店舗来客数の改善提案について、かいつまんでご説明いたします。

解決策
接客接遇改善案

店長研修の実施

【トーク例】
店舗来客数を増やすために、店長を対象とする接客接遇研修の実施をご提案いたします。

概要

施策概要

目的	店舗の接客接遇改善
スケジュール	8月1日～8月5日まで
対象	顧客満足度の低い店舗の店長
対象店舗	**20店舗**
研修内容	午前：接客接遇講義 午後：ロールプレイング ＋店舗ごとの接客改善討議
効果検証	8月6日以降の顧客満足度調査結果より改善有無を確認 ・改善が見られない場合はペナルティ ・改善目標：現在品 **90**％
コスト	**30万円** （研修講師派遣費＋会場費）

【トーク例】
概要はこのとおり。顧客満足度の低い店舗20店舗の店長を対象に実施します。現在、顧客満足度は60％ですが、これを90％にもっていくことを目標とします。コストは30万円です。

原因

顧客アンケート：不満足要素

- 接客接遇　53％
- 店内が汚い　31％
- 外装が汚い　28％
- 商品　26％
- 電波状況　21％
- その他　17％

接客接遇改善　最優先

【トーク例】
店長研修を実施する理由は、顧客アンケートの結果、接客接遇に対するご不満が最も多かったからです。

スケジュール

スケジュール

アクション	時期	先月	1週	2週	3週	4週	5週	6週	7週	1週後	2週後	3週後
施策概要確定	○月×日	確定										
施策実施	8月1日～8月5日			実施								
効果検証	8月6日以降の実況調査結果									検証		

【トーク例】
8月1日から5日まで実施し、その後3週間にわたって効果検証を実施します。改めて、検証結果についてご報告させていただきます。

35ページ）に示した3〜5分バージョンと見比べてください。

　3〜5分バージョンでは、「店舗への来客数減」という課題の原因が「接客接遇の不評」にあることを提示。その原因を解決するために「店長への接客接遇研修」を提案したうえで、その効果を示すプレゼン資料を作成しました。

　一方、1分バージョンは【図30-2】のように、まずはじめに「店長への接客接遇研修」を提案します（その効果を含む概要も説明）。そして、その根拠として、「店舗への来客数減」の原因が「接客接遇の不評」にあることを提示（原因のスライドだけ表示して、課題については口頭で説明）。最後にスケジュールを示して判断を仰ぐわけです。これであれば、1分でプレゼンを終えることは可能です。

　ポイントは、「現状報告」（課題＋原因）をできるだけ端折ることです。社内プレゼンですから、決裁者は課題については把握しているケースが多いものです。だから、課題については口頭で伝えるだけで十分。このように「現状報告」、なかでも課題をカットすることを第1に検討するといいでしょう。

　このように、ほとんどのケースで3〜5分バージョンで使用したスライドを、並べ替えるだけで1分バージョンは出来上がります。それほど手間がかかるわけではありませんから、どんな事態にも対応できるように、必ず1分バージョンを準備しておくようにしてください。

第6章

プレゼン本番は資料に沿って話すだけ

Lesson 31 完璧な資料さえあれば、それに沿って話すだけでOK

スライドとトークが馴染むまで最低20回は練習する

　ここまでお伝えした資料づくりのポイントを押さえれば、完璧なスライドが出来上がっているはずです。
　あとは、本番のトークを残すのみ。
　誰でも、プレゼン前には「うまくいくだろうか？」と心配になります。
　でも、安心してください。
　社内プレゼンは資料が9割。完璧な資料さえあれば、あとはそれに沿って普通に話すだけで大丈夫です。
　資料に自信があれば、トークにも自然と自信が備わります。その意味では、「資料が10割」と言ってもいいほどなのです。
　もしも、あなたが話し下手だったり、人前で話すと緊張するタイプでも、そのまま自然体でプレゼンに臨んでください。あなたが考え抜いたことを、トツトツと普通に話せば十分。ヘタにジョブズやTEDのトークをマネる必要はありません。そんなことをしても、逆にプレゼンの信頼性を落とすだけなのです。

　ただし、事前の練習は念入りにやってください。
　プレゼン本番はたったの3～5分。駆け抜けるように一気に話すことが大切です。そのためにも、練習は最低20回はやるようにしてください。慣れないうちは、100回でも200回でも繰り返し練習することをおすすめします。もちろん、スライドを実写しながら、それにあわせて練習します。スライドの流れに沿って、スムースによどみなく話せるまで練習するのです。

練習中の「小さな違和感」を大切にする

　練習中に感じる「小さな違和感」を見逃してはいけません。

　話のスジが論理的でないところや、自分の腹に落ちていないところでは、言葉が詰まりやすいものです。あるいは、スライド上で「目線の誘導」がうまくいっていないときは、自分もどこから話すべきかわからなくなりがちです。

　そんな「小さな違和感」を覚えたら、そのつど、スライドに修正を加えつつブラッシュアップするようにしてください。もちろん、それにあわせてトークも調整していきます。

　この繰り返しによって、スライドとトークがしっくりと馴染んでいきます。

　そのときはじめて、決裁者にとっても「わかりやすいプレゼン」になるのです。

　もちろん、タイム・チェックを忘れてはなりません。3〜5分バージョンと1分バージョン、それぞれ時間を計りながら練習してください。時間が足りなかったら、トークのどこを端折ればいいのかを考えます。あるいは、本編スライドをアペンディックスにもっていくような調整が必要かもしれません。重要なのは、時間を優先すること。時間内にプレゼンを終わらせることができるまで、内容の調整を続けてください。

　そして、「これで完璧かな？」と思ったら、誰かに実際に見てもらってフィードバックを受けるとよいでしょう。ポイントは率直に意見をしてくれる相手を選ぶこと。厳しい指摘を受けて、少々傷つくかもしれませんが、そのくらいでなければプレゼンのブラッシュアップにはつながりません。もしも、誰かに見てもらう時間がなければ、自分のトークを動画で撮影して、セルフチェックするのもおすすめです。

　慣れないうちは、この最後の仕上げにもかなり時間がかかるかもしれませんが、何度も、繰り返すうちに経験知が身につきます。そのうち、それほど苦労せずに仕上げることができるようになるはずです。

Lesson 32 決裁者の「左目」を見て話す

トークのなかで「間」は取らない

　プレゼンが始まったら、普段どおり冷静に話すようにしてください。
　練習して身体に沁み込ませたトークを展開すれば、それだけで決裁者は聞き入ってくれます。余計な演出は不要です。
　たとえば、キーメッセージを話す直前に、ちょっとした"ため"をつくる人がいます。たしかに、不特定多数の心を動かす必要のあるプレゼンであれば、そのような演出は有効です。
　しかし、社内プレゼンでは、そのような演出よりも、提案のロジックをスムースに伝えることのほうがよほど重要です。ほとんどの決裁者は、一刻も早く提案を聞き終えて、可否の判断をしたいと考えています。多くの場合、そのような余計な演出は、決裁者を苛立たせるだけなのです。
　ですから、プレゼンのゴールまでリズムよく駆け抜けることに集中するようにしてください。

決裁者だけを、まっすぐ見つめる

　では、どこを見て話せばいいのでしょうか？
　まず、決裁者だけを見ることを心がけてください。
　もちろん、スライドの説明をするときには、スクリーンに目をやる必要がありますが、それ以外のときは決裁者から目をそらさず話すようにしてください。
　なかには、スクリーンや手元のパソコン画面ばかり見ながらプレゼンする人もいますが、いかにも自信なさそうに見えます。いくらスライドの内容はよくても、それでは「この提案はうまくいかないんじゃないか」という心証

を与えてしまいます。

　また、決裁者だけではなく、参加者全員それぞれに目配せしながら話す人もいますが、これもおすすめしません。不特定多数を相手にプレゼンをするときには、できるだけ多くの人に直接語りかけるようにすることで、共感を得る効果が期待できるでしょう。しかし、社内プレゼンは、あくまでも決裁者にGOサインを出してもらうことが目的。であれば、最重要人物である決裁者だけを見ながら話すのが正解なのです。

「左目」を見て自信を伝える

　さらに、決裁者の「左目」を見ながら話すといいでしょう。
「グラフは左、テキストは右」の法則を覚えていますか？　左目から入る情報は、ビジュアルの処理が得意な右脳に送られるため、グラフはスライドの左側に配置する、という法則でしたね。

　それと同じです。決裁者の「左目」をまっすぐ見つめながら、自信に満ちた表情で話せば、そのビジュアル情報が決裁者の右脳に送られます。そして、決裁者は「この提案に自信があるんだな」と解釈してくれるわけです。

　しかも、決裁者の目をまっすぐ見つめるのは緊張するものですが、左目だけであれば、その心理的な抵抗も少なく感じられます。私も、孫正義社長にプレゼンするときには、彼の放つオーラに圧倒されたものですが、それでも左目だけであれば、まっすぐ見つめて話すことができました。そして、いくつもGOサインをいただいたのです。

　決裁者の「左目」だけを見る——。
　実践していただければ、その効果を実感できるはずです。

Lesson 33 誰に質問されても、決裁者に向かって答える

沈黙を恐れない、聞かれたことだけ答える

　プレゼンが終わったら、決裁者をはじめとする参加者からの質問を待ちます。ここで、慌てないようにしてください。

　というのは、しばしば参加者全員が黙考して、沈黙が支配することがあるからです。正直にいって、落ち着かない瞬間です。だけど、このときに、誰にも頼まれていないのに補足説明などを始めてはなりません。「間」を埋めようと、聞かれてもいないことを話し出せば、決裁者からは、提案内容に自信がなく、怯えているように見えるだけ。むしろ、余計なことを口走って、思わぬツッコミを受けるのがオチです。

　あなたは、最も重要な提案の骨子を伝えたはず。そして、どんな質問が飛んでも対応できるように、アペンディックスも万全に準備しているはずです。だから、黙って質問を待てばいいのです。

　聞かれたことにだけ答える。

　何も聞かれなければ黙って待つ。

　これが、プレゼン後のディスカッションでの鉄則なのです。

　もしも、いつまでも沈黙が続いたらどうするか？

　しばらく待って反応がないときは、堂々と「では、合意ということでよろしいでしょうか？」と聞いてしまえばいいのです。疑問や反対意見があれば、参加者からそれが表明されるはずです。あなたは、確信をもって提案しているのですから、何もリスポンスがないことをポジティブに解釈してよいのです。そして、自信をもって「合意ということでよろしいですね？」とプッシュする。そうすれば、あっさりとGOサインを得られることもあります。

最重要人物に集中する

　とはいえ、実際には、「合意ということでよろしいでしょうか？」という発言を皮切りに質問が出始めるケースがほとんどでしょう。ここからディスカッションが始まるわけです。
　もちろん、ここでも慌ててはいけません。適宜、アペンディックスを表示しながら、聞かれたことにだけ淡々と答えるようにしてください。自信をもって対応できるかどうかは、アペンディックスをどれだけ充実させたかによります。あらゆる質問・疑問・ツッコミを想定して、念入りに準備しておけば、どんなツッコミが入っても冷静に対応できるはずです。

　ここで、注意点があります。
　質問は、その場にいるすべての人物から飛んできますが、誰の質問であっても、決裁者の方を向いて答えるようにしてください。なぜなら、あなたが説得しなければならないのは決裁者だからです。
　それは、質問者に対して失礼ではないか？
　そう思われるかもしれません。しかし、簡単なコツがあります。
　たとえば、決裁者ではない人に「他社の動向はどうなっているんだ？」と聞かれたとしたら、まず、その人の目を見て頷きながら質問を聞き、「はい、他社動向についてですね」と答えます。この時点で、質問者とのコミュニケーションをとるのです。
　そのうえで、決裁者の方を向いて「A社は……」などと話し始めれば、質問者も失礼とは感じません。そして、あなたはしっかりと決裁者のほうを向いて説明することができるわけです。決裁者は、あらゆる質問に対して、確信をもって答えるあなたに信頼感をもつに違いありません。

Lesson 34 決裁されない理由を、必ず明確にする

答えられないときは、「わかりません」と正直に言う

　プレゼン後のディスカッションでは、ときに窮地に立たされることがあります。
　たとえば、準備不足のために、質問に答えられないとき。冷や汗が流れる瞬間です。
　こんなときには、どうすればいいか？
「わかりません」と率直に認めるしかありません。
　正直に「すみません、その点については確認しておりませんでした」と答えるのです。
　私も、何度もそんな場面に陥ったことがあります。私にとっては些末に見えた問題であっても、決裁者の質問に答えられなかったために、再提案を余儀なくされたこともあります。
　無念ではありますが、それは、仕方がありません。決裁者を納得させるだけの準備ができなかったのは、自分の不手際です。素直に反省するしかありません。

　最もよくないのは、ごまかそうとすることです。
　なんとかその場をやり過ごそうと、必要以上にしゃべったり、目を泳がせながら何度も同じことを言い募ると、決裁者からは「小手先でなんとかしようとしている」と判断されてしまいます。
　こうなると、そのプレゼンに対する信頼が失われるのみならず、ビジネスパーソンとしての資質すら疑いをもたれかねません。だから、質問に答えられないときは、正直に「わかりません」と答えるのが正解なのです。

最短距離で採択される鉄則

　ディスカッションで質問に答えられなかったときはもちろん、すべての質問に答えたとしても、決裁者を完全に納得させることができず、決裁に至らないことも当然あります。

　そのときは、むやみと粘らないことです。決裁者が明確に「NO」という意思表示をした場合には、あっさりと引き下がったほうがいいでしょう。

　ただし、必ず、採択されない理由を明確にしたうえで、プレゼンを終わらせるようにしてください。

　たとえば、ディスカッションで、提案事業のスケジュールに指摘が相次ぎ、差し戻しになったとします。このときには、必ず、「概要は問題ないということで、スケジュールについてもう一度ご提案したいと思います。よろしいでしょうか？」と決裁者に確認するのです。

　つまり、提案全体が否決されたのか、提案の一部が否決されたのかをはっきりさせたうえで、一部が否決された場合には、どこまでがOKで、どこからがNGなのかを明確にするのです。

　これは、きわめて重要なポイントです。

　提案全体が否決された場合には、一から考え直さなければならないからです。また、決裁者とあなたの間に理解の相違があれば、後々、問題になります。決裁者は全体を否決したのに、あなたはスケジュールだけ見直せばいいと解釈していれば、次回のプレゼンはまったく噛み合わないものになってしまうでしょう。そして、必然的に次回プレゼンも否決されることになるわけです。これでは、あまりにも非効率です。

　だから、必ず決裁者に、決裁されない理由を確認する必要があります。そして、採択されなかった部分がどこで、次回、何についてプレゼンするかを明確にする。いわば、決裁者の言質をとるのです。こうして、一歩ずつ「陣地」を確実に広げることが、最短距離でGOサインを獲得する鉄則なのです。

Epilogue
あとがき
「会社のため」と"念い"を込める

　最後までお読みくださって、ありがとうございました。
　本書には、ソフトバンクなどで、私がこれまでに培ってきた「社内プレゼンの資料作成術」のエッセンスを詰め込みました。私なりに、プレゼン技術を究めることができたのは、ひとえに、孫正義社長はじめ多くの上司・先輩方のご指導があったからこそです。改めて、ここに深く御礼を申し上げます。
　私が徹底的にこだわってきたのは、「シンプル＆ロジカル」であること。10秒で「何が言いたいか」が伝わるスライド。5〜9枚で骨太なロジックが伝わる構成。詳細のデータを網羅したアペンディックス。そうした資料を万全に整えたうえで、3〜5分のプレゼンで「一発OK」を勝ち取る。そのために、工夫に工夫を重ねてきました。
　もちろん、社内プレゼンは、企業文化によってさまざまな個性があります。特に、歴史のある大企業を中心に、細かいデータをすべて提示しながら、きちんと文章化された資料が求められる会社もあります。そのような会社で、本書のテクニックがそのまま通用するわけではありません。会社の個性に合わせてアレンジしつつ、本書をご活用いただければと願っています。
　ただ、どんな会社でも、社内プレゼンの本質に変わりはありません。社内プレゼンの多くは、なんらかの問題を解決するために行われます。ですから、プレゼンのロジックの骨子は、本書でお伝えしたように、「課題」→「原因」→「解決策」→「効果」の流れになるはずです。その骨子をしっかり組み立てたうえで、会社が求める水準の詳細なデータ・情報を付け加えていけば、必ず説得力のあるプレゼン資料をつくることができます。
　あるいは、詳細なデータを掲載したスライドも、適切な編集を加えることで「見る人」が理解しやすいものにすることができます。ここでも、本書でお伝えしたノウハウが必ずお役に立てるに違いありません。
　しかも、私が多くの会社でプレゼン講師を務めるなかで、ソフトバンクの

ように「シンプル&ロジカル」なプレゼンで、スピーディな意思決定を志向する会社が急激に増えていることを実感しています。

　考えてみれば当然のことで、年々、変化のスピードが速くなっている現代社会において、素早い意思決定によって事業スピードを最大化することは、会社が生き残るうえで極めて重要なポイントだからです。そのためには、社内プレゼンを「シンプル&ロジカル」にすることが不可欠。ぜひ、本書で提示した社内プレゼンのテクニックを参考に、少しでも会社の意思決定スピードが上がるようにチャレンジしていただければ幸いです。

　もちろん、本書のテクニックを身につけることで、皆さんご自身のキャリアにも好影響を与えると確信しています。なぜなら、本書のテクニックは、社内プレゼンの最も根本的なものだからです。どんな会社に行っても、本書のテクニックを、その会社にあった形にアレンジしていただくことで、必ず、採択率を上げることができます。ぜひ、優れたプレゼンで、チャンスをつかんでいただければと願っております。

　ただし、あくまでテクニックです。そのテクニックを活かすも殺すも、皆さんの「念い」の強さにかかっています。あなた自身が心の底から「会社のためになる」「社会のためになる」という「念い」があるかどうか。それが、最も重要なことなのです。

　その「念い」があれば、自然と「説得力のあるプレゼンをするためにはどうすればいいか？」と考え始めます。そして、決裁者に納得してもらうために、あらゆるデータを洗い出して提案内容を深めるとともに、決裁者が少しでもわかりやすいようにスライドに工夫を加えていくでしょう。その過程で、さらに「念い」は強く深くなるはずです。きっと、あなた自身が、プレゼンする提案に対して確信がもてるようになる。そのとき、本当の意味でプレゼン資料は完成するのだと思います。

　本書が、そんな皆さんのご努力の伴走者になれれば、それに勝る喜びはありません。ぜひとも本書を使い倒して、次々と「一発OK」を勝ち取ることを祈っております。

2015年7月　　　　　　　　　　　　　　　　　　　　　　　　　前田鎌利

【著者プロフィール】
前田鎌利（まえだ・かまり）

1973年福井県生まれ。東京学芸大学卒業後、光通信に就職。2000年にジェイフォンに転職して以降、ボーダフォン、ソフトバンクモバイル株式会社（現ソフトバンク株式会社）と17年にわたり移動体通信事業に従事。2010年に孫正義社長（現会長）の後継者育成機関であるソフトバンクアカデミア第1期生に選考され第1位を獲得。孫社長に直接プレゼンして幾多の事業提案を承認されたほか、孫社長のプレゼン資料づくりも数多く担当した。その後、ソフトバンク子会社の社外取締役や、ソフトバンク社内認定講師（プレゼンテーション）として活躍。著者のプレゼン・ノウハウを実践した部署で、決裁スピードが1.5〜2倍になることが実証された。2013年12月にソフトバンクを退社、独立。ソフトバンク、ヤフー株式会社、株式会社ベネッセ・コーポレーション、大手鉄道会社などのプレゼンテーション講師を歴任するほか、全国でプレゼンテーション・スクールを開講している。著書に『社外プレゼンの資料作成術』（ダイヤモンド社）。

社内プレゼンの資料作成術

2015年7月30日　第1刷発行
2019年7月30日　第17刷発行

著　者──前田鎌利
発行所──ダイヤモンド社
　　　　〒150-8409　東京都渋谷区神宮前6-12-17
　　　　http://www.diamond.co.jp/
　　　　電話／03・5778・7227（編集）　03・5778・7240（販売）
装丁────奥定泰之
本文デザイン─斉藤 充（クロロス）
企画協力───株式会社スタックアップ
編集協力───田中裕子
製作進行───ダイヤモンド・グラフィック社
印刷─────加藤文明社
製本─────ブックアート
編集担当───田中 泰

©2015 Kamari Maeda
ISBN 978-4-478-06152-7

落丁・乱丁本はお手数ですが小社営業局宛にお送りください。送料小社負担にてお取替えいたします。但し、古書店で購入されたものについてはお取替えできません。
無断転載・複製を禁ず
Printed in Japan